Le grand livre
des
MARINADES

La Mère Michel

Le grand livre des MARINADES

Guy Saint-Jean
ÉDITEUR

Données de catalogage avant publication (Canada)
Disponibles à la Bibliothèque nationale du Québec

Nous reconnaissons l'aide financière du gouvernement du Canada par l'entremise du Programme d'Aide au Développement de l'Industrie de l'Édition (PADIÉ) ainsi que celle de la SODEC pour nos activités d'édition.

Photographie de la page couverture: Louis Prud'homme
Conception graphique de la page couverture: Christiane Séguin
Typographie: Les Entreprises Ysabelle Inc.
Montage: Francine André

Dépôt légal 3e trimestre 2000
Bibliothèques nationales du Québec et du Canada
ISBN 2-89455-100-2

DISTRIBUTION ET DIFFUSION
AMÉRIQUE: Prologue, 1650, boul. Lionel-Bertrand, Boisbriand
(Québec) Canada J7H 1N7. (450) 434-0306.
FRANCE (Diffusion): C.E.D. Diffusion, 73, Quai Auguste Deshaies,
94854 Ivry/Seine, France. (1) 46.58.38.40.
FRANCE (Distribution): Société nouvelle Distique, 5, rue Maréchal Leclerc,
28600 Luisant, France. (2) 37.30.57.00.
BELGIQUE: Vander s.a., 321 Avenue des Volontaires, B-1150 Bruxelles,
Belgique. (2) 761.12.12.
SUISSE: Transat s.a., Rte des Jeunes, 4 ter, case postale 125,
1211 Genève 26, Suisse. 342.77.40.

GUY SAINT-JEAN ÉDITEUR INC., 3172, boul. Industriel, Laval (Québec)
Canada H7L 4P7. (450) 663-1777.

GUY SAINT-JEAN ÉDITEUR FRANCE, 83 Avenue André Morizet,
92100 Boulogne, France. (1) 55.60.08.28.

Imprimé et relié au Canada

Remerciements à

Mesdames
Francine Basile,
Andrée Chapman,
Diane Chevrier,
Margot Gascon
Dagmar Gueissaz-Teufel et
Denise Jobin,

Table des matières

Avant-propos

«...Les Indiens appréciaient beaucoup les grosses graines (de **facalta comosa**) qui poussent enterrées. Comme la récolte était fatigante ( ), les femmes à qui ce travail incombait préféraient piller les nids de certains rats des champs ( ) qui font d'énormes réserves de graines. Les Indiennes Dakota ( ) affirmaient cependant qu'elles laissaient toujours aux rats de la nourriture en échange: soit une même quantité de grains de maïs ou quelque autre produit que les rats mangent volontiers.» Claude Lévi-Strauss, **L'origine des manières de table**, Plon, 1968.

«Avant l'apparition des conserves, au début du XIXe siècle, avant la généralisation des chambres froides et des aliments surgelés, la conservation des aliments était difficile et pour la plupart il ne pouvait en être question. Le problème peut n'être pas capital si l'on habite pas loin des tropiques et des étés perpétuels, mais il le devient à mesure qu'on remonte vers les contrées tempérées et les hivers froids. Puisque l'homme de Néanderthal et même avant lui l'homme dressé survécurent à de terribles hivers, nous sommes certains qu'ils savaient faire des provisions. Ils pouvaient, il est vrai, s'endormir au fond d'une caverne pendant la mauvaise saison et vivre une vie somnolente et très ralentie, comme le faisaient naguère certaines peuplades de Russie et de Sibérie, mais il est, même ainsi, nécessaire d'avoir quelques provisions.» Jules Carles, **L'alimentation par les plantes**, Que sais-je ? no 1558.

Introduction:
la petite histoire des conserves

L'histoire de la conservation des aliments remonte si loin dans le temps qu'il nous sera probablement toujours impossible de dire lequel des nombreux modes de conservation que nous allons voir plus loin fut le premier en usage. Il existe aujourd'hui une manière de querelle entre les tenants de la théorie selon laquelle l'homme fut d'abord presque exclusivement carnivore (et même anthropophage) et les tenants de celle qui veut que l'homme ait d'abord été ramasseur de baies, de racines et d'autres plantes sauvages comestibles ou médicinales. L'homme étant de toute manière omnivore, laissons donc cette querelle aux spécialistes.

Toutefois, si nous nous en tenons aux premiers témoignages connus à partir de vestiges datés, nous savons que l'Australopithèque, notre lointain ancêtre africain, ramassait déjà des plantes il y a... deux millions d'années. C'est bien vague et pourtant c'est peut-être là - c'est-à-dire bien avant la maîtrise du feu par l'*homo erectus*, datée, elle, à 800 000 ans - que débute l'art de la conservation des aliments. En effet, une fois qu'ils les avaient ramassés, encore fallait-il que nos ancêtres puissent conserver les produits de leurs récoltes en les protégeant contre les insectes, les animaux et les autres clans. Autre problème de taille à régler, il leur fallait aussi les protéger contre la corruption et c'est probablement par observation et expérimentation - vitales à sa survie dans les régions nordiques - que l'homme en vint à se rendre compte que les fruits et les céréales se conservaient mieux séchés et mis à l'abri de l'air, de l'humidité et de la lumière, les légumes (racines surtout), au froid, et les viandes et poissons, séchés ou conservés dans la terre, la cendre ou la graisse. C'est ce même sens de l'observation et de l'expérimentation qui le conduira plus tard à se rendre compte que le sel, le sucre et le vinaigre (et l'alcool), les trois grands agents de conservation, pouvaient prolonger de beaucoup la vie des aliments.

On se représente souvent l'homme primordial (plutôt que «primitif») comme une brute épaisse et poilue, tenant d'une main un gourdin et traînant de l'autre sa femme par les cheveux. Rien n'est plus grotesque (on décrirait plutôt là un certain homme moderne). En effet, selon Claude Lévi-Strauss, l'homme primordial avait «une attitude d'esprit véritablement scientifique, une curiosité assidue et toujours en éveil, un appétit de connaître pour le plaisir de connaître» (in **La pensée sauvage**, Plon, 1962). Trop souvent, nous avons fait «l'erreur de croire le sauvage exclusivement gouverné par ses besoins organiques ou économiques». Qui plus est, «les espèces animales et végétales ne sont pas connues pour autant qu'elles sont utiles: elles sont décrétées utiles ou intéressantes parce qu'elles sont d'abord connues». Enfin, «il n'existe vraisemblablement pas de sociétés humaines qui n'aient fait un inventaire très poussé de leur milieu zoologique et botanique, et qui ne l'aient décrit en termes spécifiques».

Le même auteur décrit dans **L'origine des manières de table** (Plon, 1968) la fabrication du pemmican par les Amérindiens du Nord en termes si concis que je ne puis m'empêcher de reproduire ici l'extrait suivant: ils «exposaient la viande découpée en feuillets pour la faire sécher à l'air ( ). Après avoir obtenu des feuillets de viande dure et sèche, ils les posaient directement sur un lit de braises ardentes, d'abord d'un côté puis de l'autre. Ils les battaient ensuite, comme au fléau, pour les réduire en parcelles qu'ils malaxaient avec de la graisse ou de la moelle de bison fondue; et ils serraient cette préparation dans des sacs de cuir, en prenant bien soin qu'il ne reste pas d'air à l'intérieur. Les sacs une fois cousus, les femmes sautaient dessus et les piétinaient pour rendre la masse homogène. Quand chaque sac et son contenu formait un bloc compact, on les mettait de nouveau au soleil jusqu'à complète dessication». Ce pemmican était plus tard délayé dans de l'eau chaude.

Plus à l'est, d'autres tribus savaient préparer le sirop et le sucre d'érable en les faisant bouillir dans des contenants d'écorce de bouleau sans les brûler. La préparation du sucre, auquel on mêlait de la graisse pour en améliorer la qualité, incombait aux femmes. Un mythe huron (rapporté par Marius Barbeau) raconte «comment l'esprit de l'érable transforma jadis en pain de sucre la sève qui coulait de l'arbre. Une Indienne qui faisait sa récolte voulut le manger, mais l'esprit lui apparut et expliqua qu'elle devait le conserver précieusement dans une boîte en guise de talisman.» (C. Lévi-Strauss, **Origine** etc.)

La révolution du sel

« - Dis-moi, trésorier-comptable, que représente le sel à tes yeux ?

- Le sel, Monseigneur, c'est une immense richesse ! C'est le cristal précieux, comme il y a des pierres précieuses, des métaux précieux. Dans de nombreuses régions, il sert de monnaie d'échange, une monnaie sans effigie, et donc indépendante du pouvoir du prince et de ses manipulations frauduleuses. Une monnaie par conséquent incorruptible, mais qui ne vaut que sous les climats absolument secs, car elle a le défaut de fondre et de disparaître à la première pluie.

- Incorruptible pour l'homme, mais à la merci d'une averse!» (Michel Tournier, **Gaspard, Melchior et Balthazar,** Gallimard, 1980).

Si nous sommes mal renseignés sur les origines de la conservation des aliments par les méthodes déjà invoquées (séchage au soleil, cuisson, etc.), nous le sommes mieux sur l'histoire du sel (cf. **Une histoire du sel,** J.F. Bergier, Office du livre, Fribourg, 1982).

Connu depuis toujours comme le «condiment des condiments» (Plutarque), le sel a derrière lui une riche et longue histoire. C'est ainsi que dans les formules de potion données dans les papyrus égyptiens, on mentionne souvent le «sel frais». «Aux premiers temps de Rome, les simples soldats en recevaient une poignée quotidienne.» (M. Toussaint-Samat, voir référence plus loin). De là sont nés les mots de **salaire, sol** et **solde.** En France, l'impôt sur le sel (la **gabelle**), d'une injustice criante, s'il enrichit seigneurs et percepteurs, provoqua de nombreuses révoltes, vite réprimées dans le sang. Il ne fut aboli, et encore que partiellement, qu'à la Révolution.

Si le sel a joué un rôle économique de premier plan dans l'histoire, il a aussi donné lieu à de nombreuses superstitions. Considéré comme le symbole de l'hospitalité et de la parole donnée, il devenait, si renversé, présage de malheur. C'est pourquoi il fallait aussitôt en jeter trois pincées derrière soi par-dessus l'épaule gauche, pour chasser les mauvais esprits. «Léonard de Vinci n'a pas manqué de faire figurer sur la table de la Cène une salière renversée sous le coude de Judas.» (M. Toussaint-Samat). Symbole de pureté et de sagesse, le sel était associé aux rites entourant la naissance. Symbole de stérilité (qu'on se rappelle ce qui arriva à la femme de Lot), on en jetait sur les décombres des villes qu'on venait de détruire. Symbole de civilisation enfin, Homère disait, pour parler d'un barbare, qu'«il ne mêle pas de sel à ses aliments».

Ce sont probablement les peuples vivant au bord de la mer ou près des mines de sel qui, constatant son action sur le milieu environnant et sur le corps, eurent empiriquement l'idée de conserver les produits dans le sel, que ce fussent les poissons, les viandes ou divers légumes.

Le roseau sucré d'Orient

Si les débuts de l'histoire du sel se perdent dans la nuit des temps, celles du sucre, en revanche, ne datent que de quelques millénaires. Probablement originaire du Sud-Est asiatique (bien que la plante n'existe pas à l'état sauvage), la canne à sucre fut, semble-t-il, d'abord exploitée par les Indiens. Le nom de la plante provient d'ailleurs du sanscrit **sarkara** (devenu tour à tour **saccharum** en latin et **sukkar** en arabe). Transmise par les Indiens aux Chinois, aux Égyptiens et aux Phéniciens puis aux Grecs et aux Latins, c'est par les Arabes que l'Occident connut la canne à sucre.

Denrée de grand luxe, et payé au poids de l'argent, très longtemps le sucre (sous forme de sirop) fut surtout utilisé comme produit médicinal. Comme l'écrit Barbara Ketcham Wheaton dans **L'office et la bouche**, Calmann-Lévy, 1984: «Les denrées rares ou onéreuses sont souvent introduites en tant que médicament. C'est la voie suivie par le sucre, qui est d'abord un médicament, puis un des éléments de la diète d'un malade, et enfin un produit alimentaire, curieusement doté par la rumeur publique de pouvoirs aphrodisiaques...».

Parvenu d'abord à Venise (dont il fera, avec les soies et les épices, la fortune), le sucre n'arrive en France qu'au Moyen-Âge. Peu à peu donc, sa vocation médicinale se transforme et «à partir du XVIe siècle, le sucre aura trois grands emplois: on s'en sert pour édulcorer, pour confire les fruits, les fleurs et les légumes, et enfin pour décorer, soit sous forme d'ornements travaillés à la main ou moulés, soit sous forme de glaces.» (B. Ketcham Wheaton). Les Arabes puis les Italiens ayant ouvert la voie, Nostradamus publie en 1555 un des premiers recueils de confiserie en langue française. Introduite vers la même époque dans les zones tropicales du Nouveau Monde, la culture de la canne à sucre donnera lieu à l'un des épisodes les moins glorieux de l'histoire. En effet, «l'expansion du sucre, avec ses grandes plantations et ses moulins, est liée à l'esclavage, et spécialement la traite des Noirs, travailleurs types des pays tropicaux où pousse la canne».»H. Deschamps, **Histoire de la traite des noirs...,** Fayard, 1971). Enfin, mis au point en Allemagne en 1745, l'extraction du sucre de betterave, qui allait permettre la démocratisation des prix du sucre, ne prit son essor qu'au début du 18e siècle.

(Pour bien boucler la boucle, voir, sur le vinaigre, le troisième grand agent de conservation, dont l'histoire est, malheureusement, inexistante (page 30).

L'art de tout garder

Même si ce n'est que plus tard, soit vers 1851, que Pasteur découvrit que les bactéries et autres agents pathogènes étaient responsables de la décomposition des aliments, c'est Nicolas Appert qui, vers 1809, mit au point la méthode de conservation qui porte son nom (appertisation). Détail intéressant à noter au passage, on croira, jusqu'à Pasteur (qui avait quand même eu des précurseurs (en particulier Leeuwenhoeck, qui, au 17e siècle, inventa le microscope), à la théorie de la «génération spontanée»; selon celle-ci, les insectes naissaient directement de la viande corrompue (de la même manière, les champignons naissaient de la terre quand celle-ci, mouillée, «entrait en putréfaction»).

Pour en revenir à Appert, un ancien brasseur devenu confiseur, c'est en 1810 qu'il publia **L'art de conserver pendant plusieurs années toutes les substances animales et végétales.** Selon l'auteur, il ne suffisait que de: «1. renfermer dans des bouteilles ou bocaux les substances que l'on veut conserver; 2. boucher les différents vases avec la plus grande attention, car c'est principalement du bouchage que dépend le succès; 3. soumettre ces substances, ainsi renfermées, à l'action de l'eau bouillante d'un bain-marie, pendant plus ou moins de temps, selon leur nature et de la manière que j'indiquerai pour chaque espèce de comestibles; 4. retirer les bouteilles du bain-marie au temps prescrit.»

Le **Courrier de l'Europe** avait écrit l'année précédente: «M. Appert a trouvé l'art de fixer les saisons: chez lui, le printemps, l'été, l'automne vivent en bouteilles, semblables à ces plantes délicates que le jardinier protège sous un dôme de verre contre l'intempérie des saisons.»

Appert reçut pour sa découverte la récompense de 12 000 francs-or promise par Napoléon (qui avait de la difficulté à ravitailler ses armées) à qui inventerait un tel procédé. Toutefois, n'ayant pas pris la peine de déposer un brevet, ce que feront à leur profit Anglais et Américains, ce «bienfaiteur de l'humanité» mourra en 1841 dans la misère et c'est Raymond Chevalier-Appert qui, achevant les recherches entreprises par son oncle Nicolas, mettra au point, en 1851, l'invention de l'autoclave qui allait, elle aussi, révolutionner l'art de la cuisson et de la conservation des aliments.

Un certain Monsieur Birdeye

Bien que l'homme ait su depuis fort longtemps que le froid ou le gel profond conservent les aliments et qu'on fit usage, à Rome, de tonnes de glace importées à prix fort des contrées froides, ce n'est que depuis quelques décennies que sont apparus sur le marché réfrigérateurs et congélateurs. Bien des gens se rappellent les fameuses «glacières» qu'on devait constamment remplir de gros blocs de glace. Sait-on qu'autrefois ces blocs de glace étaient prélevés du fleuve Saint-Laurent gelé puis, protégés par des couches de paille, mis dans des entrepôts où ils duraient jusqu'à l'hiver suivant ? Le «livreur de glace» n'avait qu'à faire sa ronde...

Quant à la congélation et à la surgélation (cette dernière faisant appel à des températures plus basses que l'autre), méthodes de conservation des aliments très répandues aujourd'hui, ce n'est qu'en 1929 que Clarence Birdeye les mit au point. Dès le siècle dernier, on avait tenté des expériences de conservation par le froid, en particulier à bord de navires frigorifiés. Malheureusement, les produits voyageaient mal et perdaient, en cours de route, toute texture et toute saveur. C'est alors que Birdeye apprit, par un informateur, que les Inuits du Labrador exposaient viandes et poissons à des froids très intenses, en les jetant sur la glace (comme on le fait encore dans la pêche blanche), pour les retrouver parfaits en les dégelant. Le tour était joué.

Le charme discret...

Quel sera l'avenir de la conservation des aliments ? On a depuis quelques décennies mis au point des méthodes comme la lyophilisation (déshydratation) des aliments qui permet de conserver ceux-ci presque indéfiniment. On a depuis peu mis au point l'irradiation des aliments qui en permet une conservation beaucoup plus longue, malgré que la méthode ait, à cause des dangers qu'elle présenterait, de nombreux détracteurs (la même chose vaut pour le micro-ondes). L'homme du siècle prochain ne mangera-t-il que des aliments surgelés produits commercialement et d'une bien triste uniformité ? Ou, en viendra-t-on à créer, par génie génétique, des aliments qui se conservent «tout seuls» ? Mais devra-t-on, à cet avantage, sacrifier, comme c'est le cas avec de nombreuses variétés de plantes hybrides nouvelles, la saveur, la texture et le parfum des fruits et des légumes ? Le mouvement de dégradation d'une certaine qualité de la vie, d'une vie où l'on prenait le temps de «faire les choses» à travers des rituels longs mais d'une extrême variété et balayés aujourd'hui du revers de la main sous prétexte qu'ils ne sont que fastidieux (ou pire, inutiles), est-il irréversible ? On oublie que c'est cette grande variété des rituels saisonniers qui conférait à la vie plaisir, sens et beauté. Quant à moi, rien ne remplacera jamais le charme humble et discret d'un pot de marinade ou de confiture fait et présenté avec art et où se trouve enfermée, comme dans la lampe d'Aladin, pour les jours de grisaille où la nature dort de son grand sommeil blanc, toute la belle saison.

Instruments et produits employés

Le matériel requis

Les pots

Il en existe plusieurs sortes mais deux sont utilisés plus fréquemment. Ce sont:

Le **pot de type ordinaire:** avec couvercle de métal et rondelle de métal à rebord caoutchouté qui doit être renouvelé à chaque remplissage. Ce pot est disponible en quatre grandeurs: 1 tasse, 2 tasses, 4 tasses et 8 tasses.

Le **pot de type français:** à rondelle de caoutchouc et couvercle de verre fixé par un étrier de métal. Ce pot coûte plus cher mais est plus beau que le premier. La rondelle de caoutchouc doit être remplacée à chaque fois.

Les **pots de type Perfect Seal, Gem, etc.,** sont d'usage peu courant aujourd'hui et certains sont même devenus des pièces de collection. Certains disposent d'une rondelle de caoutchouc et d'un couvercle qui se fixe sur le dessus par des pinces, d'autres ont un couvercle de métal vissé et une rondelle de caoutchouc et de verre.

Les **pots de produits commerciaux** peuvent être employés pour les confitures et les gelées, jamais pour les conserves. On ne doit jamais les mettre au four pour les stériliser mais les ébouillanter.

Les ustensiles

Une **cuisinière** munie d'un four.

Un **chaudron à confire en fonte émaillée, pyrex ou acier inoxydable;** éviter surtout l'aluminium et le fer ou n'utiliser ce dernier que pour la cuisson proprement dite.

Un **deuxième chaudron** utile dans bien des cas.

Un **chaudron stérilisateur** pour la stérilisation des conserves, soit:

1) un **autoclave** (chaudron à pression) muni d'un faux-fond de métal

ou

2) un **chaudron d'étain bleu** avec support de métal à compartiments (d'une capacité de 8 litres et vendu dans les quincailleries).

L'autoclave est évidemment recommandé car il économise temps et énergie et donne de meilleurs résultats.

Un **bain-marie** utile dans certaines recettes.

Une **planche de bois** (ou même deux) pour le traitement des légumes.

Un **presse-jus**, de préférence en verre.

Une **tasse à mesurer** d'une capacité de 2 ou 4 tasses.

Des **cuillers à mesurer**.

Des **cuillers de bois ou d'acier inoxydable** pour le brassage des préparations.

Une **louche munie d'un bec** pour le remplissage des pots.

Un **cône-versoir à grande ouverture** pour le remplissage des pots.

Un **pilon à pommes de terre** pour écraser certains légumes.

Une **écumoire**.

Une **brosse à légumes**.

Un **couteau à peler** en acier inoxydable.

Un **couteau à légumes**.

Un **couteau à lame fine** pour émincer les zestes.

Un **couteau de table** pour chasser les bulles d'air des pots lors de leur remplissage.

Des **passoires à poignée** (ou un panier de métal) pour laver, blanchir ou passer les légumes.

Un **chinois**. Il s'agit d'une passoire en forme d'entonnoir, perforée finement et munie d'un trépied. Les légumes y sont écrasés à l'aide d'un pilon de bois conique.

Une **spatule**.

Un **fouet de métal**.

Une **pince de métal spéciale** pour retirer les pots de l'eau bouillante.

Divers **grands plats de grès ou de verre** pour le dégorgement des légumes ou la mise en saumure.

Un **sac à gelée** (étamine) ou une taie d'oreiller blanche (pour le coulage des jus).

Des **nouets** pour mettre les épices et condiments.

Des **linges à vaisselle** propres pour essuyer les pots, les légumes, etc.

Du **papier-journal** sur lequel déposer les pots chauds ou dans lequel les envelopper.

Un **mortier** et un **pilon** pour broyer les épices.

Une **balance** pour peser les ingrédients.

Des **gants de caoutchouc** pour la manipulation des pots chauds.

Un **mélangeur électrique** («blender») pour réduire en purée les sauces et les catsups.

Des **sacs de plastique épais** pour la congélation des légumes.

Du **papier d'aluminium** pour la congélation des légumes.

Un **scelleur électrique** (marque Decosonic), appareil apparu depuis peu sur le marché et des plus utiles pour une bonne conservation des aliments congelés.

Un **diffuseur de chaleur**.

Les ingrédients

Les sucres

Un sucre est un glucide sucré et soluble. Le terme de sucre est généralement appliqué au saccharose. Il existe en fait trois types de sucre que l'on extrait des fruits ou d'autres plantes.

Le **saccharose** (ou **sucrose**): produit pur à 99,8%, il est extrait, soit de la betterave sucrière, soit de la canne à sucre. Le sucre extrait de l'érable est aussi un saccharose. Ce sucre blanc et cristallisé fond à 160-186° C (320-375° F). En quantité modérée, le sucre blanc stimule la sécrétion des sucs de l'estomac et peut donc faciliter la digestion. C'est aussi un aliment énergisant puissant.

Toutefois, c'est, de tous les sucres, le plus pauvre nutritivement et le plus difficile à digérer; il peut même, si l'on en abuse, agir comme déminéralisant et irriter le tube digestif. Les formes brutes du sucre extrait de la canne à sucre sont plus riches en éléments nutritifs (vitamines, fer, calcium). Ce sont la mélasse (noire ou des Barbades) et le sucre Demerara (vendu sous le nom de cassonade sous sa forme semi-raffinée). Malheureusement, ces produits contiennent des éléments fermentescibles qui sont contre-indiqués (sauf exception) dans la préparation des marinades. Le sucre candi, en gros cristaux, est une forme plus brute du sucre blanc à glacer. Ces deux derniers sont surtout utilisés en confiserie.

Le **glucose** (ou **dextrose**): les fruits sucrés, le miel, mais surtout les raisins en contiennent. Ce sucre fond à 146° C (près de 300° F).

Le **lévulose** (ou **fructose**): il se rencontre dans les fruits mûrs sucrés (cerise, fraise, framboise, poire), le miel et le nectar de fleurs. Il fond à 102-104° C (215° F environ). C'est le seul sucre permis aux diabétiques.

La **saccharine** est un succédané fabriqué à partir du toluène, un produit du pétrole. À l'état pur, elle sucre 550 fois plus que le sucre ordinaire mais n'a aucune valeur alimentaire et peut même être considérée comme un poison.

Le sel

Composé métallique appelé par le chimiste chlorure de sodium (NaCl), le sel provient, soit de la mer (et des marais salants), soit des mines de sel gemme. Le sel définit par son degré de pureté et non par son origine. C'est pourquoi le sel iodé (sel fin de table), quoique plus fort, est moins pur et de goût moins fin que le gros sel, qu'il s'agisse du sel gemme ou du sel marin (parfois grisâtre) qu'il faut moudre. En pratique, 3 tasses de gros sel équivalent à 2 tasses de sel fin.

Le rôle du sel est multiple:

1. **Il accentue le goût des aliments et stimule l'appétit.**

2. **Il nourrit** (grâce au sodium et au chlore qu'il contient).

3. Il conserve. Employé depuis des temps immémoriaux pour conserver les poissons, les viandes et même certains légumes, le sel est souvent un ingrédient essentiel dans certaines cuissons. C'est ainsi que «la viande de boeuf pour le pot-au-feu gagne à séjourner une nuit recouverte de sel». Et, précise Pierre Delaveau (**Les épices**, Albin Michel, 1987), «si l'on sale avant cuisson, le suc des viandes est attiré par le sel, d'où un changement de goût. Un saisissement suffisant coagule les protéines en surface et retient le suc en profondeur.» À l'inverse, si le sel attendrit les viandes coriaces (avec ou sans marinade), il durcit les viandes tendres et, ajouté à l'eau de cuisson, les légumes.

Dans les marinades, catsups, etc., le sel est employé d'abord pour faire dégorger les légumes et les rendre plus poreux aux ingrédients (sucre, épices, vinaigre) dans lesquels ils seront marinés. Le dégorgement dure généralement 12 heures et les légumes doivent ensuite être rincés et bien égouttés. Généralement, les légumes sont suffisamment assaisonnés de sel par ce traitement.

Du point de vue de la santé, le manque tout autant que l'abus de sel sont nocifs. Sans le sel, dont le rôle est de maintenir l'équilibre des liquides dans l'organisme, le corps se déshydrate. À l'inverse, une trop grande consommation de sel «s'accompagne toujours d'un accroissement de la tension si elle est déjà élevée». Toutefois, une brutale suppression du sel peut entraîner, surtout chez les personnes âgées, un risque d'un autre ordre, l'abaissement de la volémie - le volume de sang circulant». Si l'on doit, sur ordre du médecin, s'abstenir de sel, «on recommandera donc une réduction progressive pour éviter de bouleverser les mécanismes subtils du délicat équilibre physiologique». (P. Delaveau).

Comme rien n'est plus triste qu'un régime sans sel, surtout quand on y est habitué depuis toujours, on pourra remplacer le sel par des plantes (séchées au four puis broyées) riches en potasse comme le tussilage ou la salicorne, l'estragon (goût de sel et de poivre) ou par d'autres épices.

L'alun

Bien que prescrit dans certaines recettes comme astringent pour rendre croquants certains légumes (petits oignons blancs et cornichons), on le considère aujourd'hui nocif pour la santé.

De plus, l'alun peut conférer une certaine amertume aux aliments.

Les vinaigres (et le verjus)

Un vinaigre est un acide acétique obtenu par oxydation de l'alcool éthylique contenu dans certains jus de fruits ou bouillies de céréales (orge, etc.) qui ont été fermentés. On emploie dans les recettes de marinades du vinaigre blanc, de cicre, de vin, de malt, etc. On peut aussi faire des vinaigres aromatisés à la framboise, à la mûre de ronce, à l'ail, à l'estragon, à l'aneth ou autres fines herbes, aux épices, etc. (voir **Vinaigres épicés**).

Alors que «le principe du salage rejoint l'emploi du sucre» et que «la haute concentration osmotique obtenue dans la chair décourage la très grande majorité des microorganismes, bactéries putrides et champignons» (P. Delaveau), le vinaigre doit à son principe antiseptique (plus ou moins développé selon sa force) d'être le troisième grand agent de conservation des aliments. C'est lui aussi qui, par son acidité (atténuée ou accentuée par les produits avec lesquels on l'assaisonne) donne de la saveur à des aliments autrement insipides. Alors que le vinaigre «cuit» les viandes dans lequel on les marine, à l'inverse, il durcit les légumes à la cuisson; c'est pourquoi il est préférable, dans certains cas, de préparer le vinaigre et les épices avant d'y cuire les légumes et préférablement une à deux semaines avant de l'employer.

Le verjus, quant à lui, est «un liquide acide qui vous emporte la bouche (   ). Il est généralement fait avec du jus de raisins verts, parfois fermenté, mais pas toujours; il peut également être fait avec du jus de pommes sauvages (   ). Le verjus vert est parfois coloré et parfumé à la purée d'oseille.» (B. Ketcham Wheaton). Très populaire au Moyen-Âge dans les soupes, ragoûts, sauces, etc., le «vert jus» n'est plus guère utilisé que dans les moutardes, quoiqu'on pourrait probablement en faire, après fermentation, d'excellents vinaigres.

Tout comme on l'a vu pour le sucre et le sel, il ne faut pas abuser des aliments marinés au vinaigre, car s'ils stimulent l'appétit et aident à la digestion des aliments (viandes grasses en particulier), ils peuvent irriter l'estomac et les autres voies digestives.

Les principaux légumes

(On trouvera dans l'**Histoire naturelle et morale de la nourriture**, de Maguelonne Toussaint-Samat (Bordas, 1987) et dans **Traitement des maladies par les légumes, les fruits et les céréales,** de Jean Valnet (Maloine, 1972) une foule de détails passionnants sur l'histoire et la valeur alimentaire et médicinale des légumes.)

Artichaut: légume fin riche en vitamine A et B et sels minéraux, de digestion facile et indiqué à ceux qui ont le foie délicat ou malade. À manger frais de préférence avec une vinaigrette à l'huile d'olive (vierge et pressée à froid) et au jus de citron; une fois cuit, l'artichaut ne se conserve pas plus de 24 heures. Créé à partir du cardon (dont on ne consomme que les côtes) par les jardiniers italiens de la Renaissance, l'artichaut est de culture ardue au Québec. Les grosses fleurs épanouies sont très ornementales.

Asperge: riche en vitamines A et C et en sels minéraux, c'est, selon l'expression de la regrettée Jehane Benoît, «l'aristocrate des légumes». Excellent diurétique, quoique déconseillé aux gens qui souffrent de cystite, l'asperge fut introduite tôt au Québec et s'y est, en certaines régions, complètement naturalisée. En culture, une plantation commence à produire au bout de 3-4 ans mais peut durer ensuite une vingtaine d'années.

Aubergine: légume riche en vitamine A et en phosphore et calcium. Excellente farcie ou en ratatouille, l'aubergine peut être tout simplement rissolée en tranches dans beaucoup d'huile d'olive et assaisonnée de sel et de poivre. On cultive une aubergine blanche à petits fruits blancs en forme d'oeuf; celle-ci est surtout ornementale.

Betterave: «C'est une racine fort rouge, assès grosse, dont les feuilles sont des bettes, et tout cela est bon à manger... Le jus que (la racine) rend en cuisant, semblable à syrop au sucre, est très beau à voir pour sa vermeille couleur.» (Olivier de Serres, 1600) Légume riche en vitamines A, B et C, en sucres (donc contre-indiqué aux diabétiques) et sels minéraux, la betterave est très nutritive. On extrait du sucre de la betterave sucrière que depuis la fin du 18e siècle.

Carotte: «Un des légumes **les plus précieux** pour l'homme.» (Jean Valnet) La carotte est en effet très riche en vitamines, sucres et sels minéraux et Jean Valnet recommande la soupe aux légumes et herbes suivante: «...carotte, poireau, oignon, ail, thym, romarin, navet, clou de girofle, laurier, céleri, cerfeuil et persil» à cuire dans un bon bouillon de boeuf ou de poulet. Médicinalement, la carotte est recommandée contre tous les problèmes intestinaux et l'anémie. Les feuilles peuvent être employées dans les soupes ou les herbes salées.

Céleri: *Le céleri donne de l'affection, les olives, de la passion* dit un proverbe québécois. Cela tient-il au fait qu'à la Renaissance le céleri confit était considéré comme un aphrodisiaque ? Quoiqu'il en soit, ce légume est assez riche en vitamine A, B et C et sels minéraux. Le bouillon de céleri (à raison de 250 g de plante par litre d'eau et d'une heure de cuisson) est excellent contre les engelures. On peut aussi cultiver le céleri-rave, un des légumes-racines les plus fins au goût et de grande valeur alimentaire.

Chou(x): un des légumes les plus riches en vitamines et sels minéraux, particulièrement recommandé à ceux qui ont des problèmes d'estomac et d'anémie; c'est aussi un cicatrisant de premier ordre (passer une feuille placée entre deux linges au fer à repasser et appliquer). Cultivé par les Celtes et les Germains, il fut ensuite connu et fort apprécié des Grecs et des Romains. On a créé, à partir de la plante sauvage, plus de 400 variétés de chou (brocoli, chou pommé, cabus, rouge, chou-rave etc.).

Concombre (et **cornichon**): assez riche en vitamines mais de peu de valeur une fois mariné. Jean Valnet donne la recette de **Lait de concombre** suivante: «Écraser dans un mortier 50 g d'amandes douces blanchies et moulues. Verser lentement 250 g de jus de concombre bouilli et refroidi. Passer à travers une mousseline. Ajouter 250 g d'alcool et 1 g d'essence de rose. En lotions.» Ce lait sert évidemment pour les soins de la peau.

Courge(s) et courgette: riches en vitamine A, les courges sont employées braisées, farcies, en potages, purées, etc. La courgette est employée rissolée, farcie, en ratatouille ou marinée (voir recettes).

Échalote («française»): de même valeur que l'oignon mais d'un goût plus délicat, qu'il s'agisse de la rose ou de la jaune. Appelé par Louis Lagriffe (**Le livre des épices, condiments et aromates,** Marabout, 1966) la «perle de la gastronomie», elle est en effet un ingrédient indispensable de nombreuses sauces et vinaigrettes. Elle peut aussi être marinée, seule ou en mélange avec d'autres légumes (procéder comme pour les petits oignons blancs). Au

Québec on donne un peu fallacieusement le nom d'échalote à l'oignon à botter (oignon vert). En France, une coutume veut qu'on serve les huîtres fraîches avec un filet de jus de citron et de vinaigre d'échalote.

Épinard: très riche en vitamines B, B_{12}, C et sels minéraux. À manger cru de préférence (en salades, telle la César) ou cuit à la marguerite. L'épinard est un reminéralisant de premier ordre et mérite à juste titre sa réputation de «balai de l'intestin».

Haricots (et **fèves**): alors que les haricots sont riches en vitamines A, B et C et en sels minéraux, les fèves le sont surtout en vitamines B et C, protéines (fèves soja et pois chiches surtout) et sels minéraux. Les Amérindiens cultivaient jusqu'à une trentaine de variétés de haricot.

Laitue(s): riche en vitamines A, B, C, D et E, sels minéraux (magnésium en particulier) et lactucarium (aux effets comparables à ceux de l'opium mais sans les inconvénients). Appelé par les anciens la «plante des eunuques» (ou des «sages»), la laitue est en effet sédative et anaphrodisiaque. On pourrait faire avec les plants montés en graines d'excellentes infusions somnifères (pour corriger l'amertume, sucrer au miel).

Maïs: riche en vitamines B et C et sels minéraux, le maïs est très nutritif. Avec le haricot et la courge, il faisait partie des *Trois Soeurs* de la mythologie amérindienne. Sa culture date d'au moins 8 000 ans et serait donc l'une des plus vieilles du monde.

Navet: riche en vitamines A, B et C et sels minéraux et sucre. Peut se manger en pot-au-feu ou en purée mais aussi râpé cru en vinaigrette ou encore mariné (voir recettes).

Oignon: Légume-panacée riche en sucre, vitamines A, B et C et sels minéraux. Stimulant général, diurétique puissant et remède excellent contre la grippe. Jean Valnet donne la recette suivante (in **Aromathérapie**, Maloine, 1972): «Laisser macérer 2 oignons émincés dans 1/2 litre d'eau. Un verre de la macération entre les repas et un au coucher pendant une quinzaine de jours.»

Piment(s) et **poivrons:** très riches en vitamines A et C, sels minéraux (fer en particulier), on en connaît de toutes les couleurs et de toutes les formes, les uns forts (piments), les autres doux (poivrons). Les piments sont l'ingrédient de base d'un grand nombre de sauces orientales ou centres-américaines (harissa, *moles* mexicains, sauce aux «cerises» chinoise, etc.). En coupant les piments forts, il faut toujours faire bien attention de ne pas toucher ses muqueuses (celles des yeux, en particulier).

Poireau: légume très riche en vitamines B et C et sels minéraux. De culture longue mais profitable car le poireau se conserve bien en chambre froide et parce qu'on peut le cueillir même après les premières neiges. Les feuilles peuvent être séchées au four pour être utilisées dans les soupes ou, broyées, dans les sels de fines herbes.

Pois: riche en vitamines A, B et C et sels minéraux (phosphore surtout). Le pois vert (ou petit pois) et le pois mange-tout sont des variétés améliorées de la plante sauvage.

Pomme de terre: riche en hydrates de carbone, vitamines du complexe B, protéines et sels minéraux. Cultivée depuis des lustres par les Incas et peut-être aussi par certaines tribus amérindiennes du Nord, la plante dut faire un long détour par l'Europe et connaître diverses fortunes avant de prendre au Québec l'importance que l'on sait. En effet, cultivé d'abord comme plante ornementale, elle ne s'imposa vraiment, malgré les efforts de Parmentier, que bien au-delà de la Révolution-Française. La pomme de terre ne se conserve pas plus de 24 heures une fois cuite.

Radis: riches en vitamines B et C, les radis, le noir surtout, sont excellents pour stimuler et nettoyer le foie. Jean Valnet donne la recette de **Sirop de radis noir** suivante: «Placez dans une terrine des couches alternées de rondelles de radis noirs et de sucre candi. Le lendemain, un sirop abondant se sera formé. Quatre à six cuillèrées à soupe par jour ont raison des toux les plus rebelles.» Les autres radis (rouge, rose, blanc) ont des vertus comparables mais moindres.

Raifort: riche en vitamine C et sels minéraux, ce légume-condiment est surtout un stimulant des voies digestives. La plante est sauvage en certaines régions du Québec. La **Sauce au raifort** se fait en mêlant 2 c. à soupe de raifort pelé et râpé, 1/4 de c. à thé de moutarde forte, 5/8 de tasse de crème épaisse, 2 c. à thé de sucre en poudre et du sel et poivre au goût. Cette sauce est excellente avec le saumon grillé.

Rutabaga: de valeur comparable à celle du navet.

Salsifis: riche en hydrates de carbone et divers sels minéraux. C'est un légume qui devrait être davantage cultivé car il peut passer l'hiver sous terre pour n'être cueilli que le printemps suivant. Pour ne pas se tacher les mains en les pelant, placer les salsifis dans de l'eau vinaigrée.

Tomate: très riche en vitamines A, B et C et sels minéraux. Qui pourrait imaginer la cuisine italienne (ou provençale) sans tomate? Et pourtant, ce n'est que depuis le 18e siècle que celle-ci est cultivée en grand. Comme la pomme de terre et le tabac, ramenés du Nouveau-Monde après sa découverte, la tomate fut d'abord cultivée comme curiosité botanique et plante ornementale. Quand on casse les gourmands des plants de tomate, se laver ensuite les mains avec une tomate écrasée.

Topinambour: riche en vitamine A et C et hydrates de carbone, c'est un légume nourrissant malheureusement méconnu au Québec car, outre qu'il produit 5 fois plus que la pomme de terre, il pousse dans n'importe quel sol et fleurit abondamment. On peut se procurer des tubercules en écrivant à: Richter's, Goodwood, Ontario, L0C 1A0.

(Voir aussi l'annexe **Origine des noms de légumes.**)

Les épices, condiments et fines herbes

(Comme je dois sous peu écrire un livre sur les épices et les condiments, je ne traite ici ceux-ci que dans l'utilisation qu'on en fait dans les marinades. Pour les fines herbes, pour plus de détails et une foule d'autres recettes, voir mon livre **Le grand livre des fines herbes.**)

Sur le rôle général des épices et condiments dans les marinades, disons qu'ils assaisonnent les fruits et les légumes, aident à la conservation des produits (certaines épices comme la cannelle, le genièvre, le clou de girofle, etc., ont un pouvoir antiseptique puissant) et stimulent l'appétit et la digestion. Rien n'est plus agaçant que la confusion, abondamment propagée par les médecins, qui met dans le même panier sous le nom vague d'«épices» les **vraies** épices, les condiments, les fines herbes et le sel. Si l'abus de sel peut provoquer, comme on l'a vu, des problèmes de santé, les épices, condiments et fines herbes ont au contraire, à doses raisonnables, une action positive sur la santé (sauf contre-indications spécifiques). Pour une étude approfondie de la valeur médicinale des épices, on consultera avec profit **Aromathérapie**, de Jean Valnet, Maloine, 1972.

Ail (et **ail des bois**): employées crues, les gousses d'ail ajoutent une saveur chaude aux légumes marinés au vinaigre ou à l'huile (cornichons, choux-fleurs, champignons). Quant à l'ail des bois, c'est un condiment à servir avec les viandes, surtout le gibier.

Aneth: tout le monde connaît les «dill pickles» ou cornichons à l'aneth. Mais on peut aussi se servir de cette plante de culture facile dans les marinades pour poissons et diverses autres recettes: plats grecs, sauces, etc. Aneth et fenouil sont interchangeables.

Badiane (ou **anis étoilé**): les grosses graines en forme d'étoile de la badiane ont un parfum chaud qui rappelle celui de l'anis. La badiane est un ingrédient essentiel des poudres de cari (ou «curries») indiennes, des Cinq-Épices chinoises (avec le clou de girofle, la muscade, le poivre noir et la cannelle ou le gingembre) et de l'Anisette de Marie Brizard. On peut s'en servir dans divers mélanges d'épices servant à assaisonner les marinades aigres-douces ou sucrées (chutneys, catsups, etc.).

Cannelle (et **casse**): la cannelle vraie (la plus fine) est celle du Ceylan alors que celle de Chine, plus rouge est le cassia ou «casse»... L'une et l'autre s'emploient dans les mélanges d'épices entières et parfois moulues.

Câpres: condiment d'importation qu'on emploie dans les salades et diverses sauces (hollandaises, ravigote, au vin blanc), les câpres relèvent le goût des poissons d'eau douce et des viandes grasses. Vu leur prix assez élevé, on peut les remplacer par des boutons de pissenlit (cueillis très jeunes au coeur de la rosette de feuilles), de souci cultivé ou de souci d'eau (populage) ou encore de capucine (voir **Boutons de pissenlit confits**).

Capucine: fleurs, feuilles, boutons, toutes les parties de la capucine sont comestibles. On peut en faire des vinaigres. Les feuilles et les fleurs peuvent, en petites quantités, agrémenter et rendre plus piquantes les salades vertes.

Cardamome: autre ingrédient essentiel des poudres de cari, les semences fines de la cardamome sont employées surtout pour parfumer les charcuteries, les bouquets garnis pour poissons et les pains d'épices. C'est, à cause de son odeur particulière, une épice à employer avec discrétion dans certaines marinades (surtout d'origine indienne).

Céleri (graines de): un des condiments les plus fins à employer dans les soupes, les ragoûts et dans de nombreuses marinades auxquelles il ajoute une note verte, suave et généreuse.

Coriandre: une autre épice à employer avec discrétion et seulement lorsque indiqué. Comme celles de la cardamome, les graines de coriandre mâchées servent à neutraliser l'odeur de l'ail. Les feuilles de la plante fraîche sont utilisées dans certaines préparations.

Cumin: épice au parfum fort à n'employer qu'avec discrétion. On peut s'en servir pour assaisonner la choucroute ou, si l'on est chasseur, pour attirer les perdrix.

Curcuma: la poudre de la racine de cette plante sert à assaisonner et colorer en jaune diverses marinades. C'est un autre ingrédient de base de la poudre de cari.

Estragon: l'une des plus prestigieuses des fines herbes, l'estragon peut à lui seul remplacer le sel, le poivre et le vinaigre. Employé dans les salades vertes, diverses sauces (béarnaise, rémoulade, ravigote, etc.), il entre aussi dans la fabrication du vinaigre à l'estragon. Dans les marinades, on se sert surtout de la plante fraîche pour parfumer les cornichons.

Fenouil (voir Aneth).

Genièvre (ou génévrier): les baies de ce petit conifère, abondant dans certaines régions du Québec, servent surtout à aromatiser la choucroute. On s'en sert aussi dans les marinades où doit séjourner le gibier à poil ou à plumes.

Gingembre: employé dans les gâteaux aux épices et de nombreuses recettes orientales, on l'utilise dans les marinades aigres-douces ou sucrées. On peut aussi le confire dans le vinaigre.

Girofle: employé dans les ragoûts (de boeuf surtout), certaines sauces et avec le jambon. «Son emploi avec l'oignon réalise une association particulièrement heureuse. Sa cuisson développe le principe sucré de celui-ci tandis qu'elle atténue l'âcreté du clou de girofle et que l'arôme du second supprime les effluves alliacés du premier.» (L. Lagriffe) À utiliser avec discrétion dans les mélanges d'épices ou dans des recettes comme celles des tomates vertes marinées, les clous de girofle sont les boutons floraux de la plante. Le clou rond n'est constitué que de l'extrémité ronde du clou proprement dit.

Laurier: employé dans les sauces et les ragoûts qu'il relève de son arôme chaud et doux, il entre dans tous les mélanges d'épices à marinades et les bouquets garnis. La plante peut se cultiver à l'intérieur comme ornementale mais on ne doit pas être confondue avec le laurier-rose qui est vénéneux.

Livèche: quoique d'un goût plus prononcé que le céleri, on pourrait l'employer dans certaines recettes où sont requises les graines de céleri. Les feuilles se sèchent bien.

Moutarde: une des plantes condimentaires les plus utilisées, soit en graines, soit en poudre, soit encore en moutarde préparée (marques commerciales innombrables). Ses usages sont trop connus pour les rappeler ici.

Muscade (et macis): à employer fraîchement râpée de préférence, la noix de muscade entre dans la fabrication de nombreuses marinades. On peut aussi en parfumer les sauces vinaigrettes pour salades vertes. Le **macis**, de saveur et odeur plus fines, est constitué de l'enveloppe de la noix de muscade. À hautes doses, la muscade est euphorisante et même hallucinogène (et dangereuse).

Piment (voir plus haut dans les légumes).

Poivre: l'«épice des épices». Le poivre est trop connu pour rappeler ici ses utilisations. Rappelons seulement qu'il existe du poivre noir, du poivre blanc (il s'agit du noir mais débarrassé de son enveloppe) plus fin et plus parfumé et du rose (qui provient d'une plante d'une autre famille que le poivrier et qu'il serait plus juste d'appeler les «baies roses de Bourbon»). Du point de vue de la santé, le poivre tonifie l'organisme, stimule l'appétit, aide à la digestion et à la dissolution des graisses et des hydrates de carbone dans l'organisme. Il faut toutefois ne pas en abuser car il peut provoquer des irritations gastro-intestinales.

Quatre-épices (appelé aussi **toute-épice** ou **poivre de la Jamaïque):** originaire de l'Amérique Centrale, les graines de cette plante (*pimenta dioica*) ont l'avantage de combiner en elles les goûts du girofle, du poivre, de la cannelle et de la muscade.

Raifort: (voir dans les légumes).

Sarriette: une des rares fines herbes à être employées dans les mélanges d'épices à marinades dont elle rend la digestion plus facile.

Valeur alimentaire des légumes mis en conserve, marinés ou congelés

Tout comme «les vitamines synthétiques ne sauraient remplacer un manque de vitamines naturelles, ( ) les aliments trop cuits, stérilisés et, d'une façon générale appauvris en vitamines, à fortiori ceux qui en sont totalement dépourvus, se comportent, selon certains auteurs, comme des «anti-vitamines» qu'un apport supplémentaire de vitamines ne suffit pas toujours à neutraliser. On le comprend sans peine si l'on veut bien se rappeler que les aliments, pour être parfaitement assimilés, doivent comporter l'ensemble dont les a doté la nature.» (Jean Valnet, **Traitement des maladies par les légumes, les fruits et les céréales**, Maloine, 1972; je recommande cette oeuvre à quiconque désire faire une étude plus approfondie de la valeur nutritive et médicinale de ces produits.) Il faut donc inclure des légumes frais dans son alimentation chaque jour.

Les méthodes de conservation

La mise en conserve (appertisation)

Étapes:

1. Choisir des légumes frais et fermes. Les nettoyer puis les parer. Si l'on a un jardin, ne récolter les légumes qu'avant de les traiter.

2. Stériliser les pots, les rondelles de caoutchouc ou de métal à rebord caoutchouté en les faisant bouillir 15 minutes. On peut stériliser les pots au four (à 125° C, soit 250° F) ou au lave-vaisselle. Stériliser aussi les ustensiles qui doivent être utilisés. Les ustensiles peuvent aussi être stérilisés au lave-vaisselle. (Ne jamais mettre de caoutchouc au four, bien sûr.)

3. Blanchir les légumes le temps requis (voir **Tableau II**). Les jeter ensuite en eau froide pour arrêter la cuisson puis les égoutter à fond et assécher au besoin. Le blanchiment permet de peler facilement certains légumes (tomates, petits oignons); les carottes, panais et autres légumes-racines peuvent être brossés (et non pelés, ce qui leur enlève une certaine valeur) après le blanchiment.

4. Remplir les pots stérilisés et chauds (ceux-ci doivent avoir été placés à l'abri des courants d'air sur une planche de bois ou quelques épaisseurs de papier-journal). Ne jamais tasser les légumes dans les bocaux de manière à permettre à l'eau de circuler autour.

5. Couvrir les légumes d'eau chaude (nouvelle eau) puis chasser les bulles d'air des pots à l'aide d'un couteau. Ajouter 1 c. à thé de sel par pot d'1 litre. Aux tomates, ajouter aussi un peu de sucre. Toujours réserver un espace de tête de 1-2 cm. Aux betteraves. ajouter 1 c. à soupe de vinaigre pour en préserver la couleur.

6. Couvrir les pots puis les sceller presque entièrement. Placer les bocaux dans le chaudron ordinaire (muni d'un panier de

41

broche ou d'un faux-fond) ou dans l'autoclave (avec le faux-fond). Remplir le chaudron d'eau chaude en quantité suffisante pour qu'ils soient couverts aux trois quarts dans l'autoclave et entièrement dans le chaudron ordinaire. Le fond des pots ne doit **jamais** toucher le fond du chaudron. Éviter de même que les pots ne se touchent car ils pourraient se briser en bouillant.

7. Stériliser les pots le temps requis (voir **Tableau II**) puis quand la stérilisation est achevée, les retirer du chaudron avec la pince à bout de caoutchouc. Finir de les sceller puis les essuyer et les placer la tête en bas pour s'assurer qu'aucune liquide ne fuit.

8. Laisser refroidir complètement les pots puis les essuyer de nouveau et les étiqueter (avec la date de mise en conserve) et entreposer dans un endroit frais, sec, propre et à l'abri de la lumière. Éviter de garder les pots sur des étagères élevées car ils sont alors exposés à trop de chaleur. Généralement, les conserves doivent être consommées dans l'année suivant leur fabrication. Au bout de ce temps, elles ont perdu beaucoup de leurs éléments nutritifs. Les légumes en conserve doivent être cuits au moins dix minutes avant d'être consommés.

Au sujet de la conservation des légumes, il n'est pas inutile, je crois, de glisser un mot sur le botulisme. Il s'agit d'une intoxication extrêmement grave et foudroyante provoquée par la consommation de conserves mal stérilisées ou entreposées. Les bactéries responsables de cet empoisonnement prolifèrent surtout dans les aliments non acides (asperges, haricots et fèves, maïs). C'est pourquoi le contenu de toute conserve qui coule lors de l'entreposage ou qui, lorsqu'on l'ouvre, présente des bulles, de l'écume ou une odeur suspecte, doit être immédiatement jeté (même si, par malheur, l'acide botulique est inodore). On dit qu'une cuisson d'une durée de 30 minutes détruit les toxines botuliques... cela ne justifie pas le risque d'employer un aliment suspect. Je vous recommande donc de congeler les légumes ci-haut mentionnés plutôt que de les mettre en conserve ou alors de n'employer que des pots parfaits et de les stériliser le plein temps indiqué dans les recettes ou le **Tableau II**. Par ailleurs, il ne faut acheter dans les épiceries ou marchés que des boîtes de conserve parfaites (je ne comprends d'ailleurs pas pourquoi ces mêmes commerces ont le droit de vendre des boîtes de conserve bosse-lées ou éraflées).

Note: on peut aussi, bien sûr, faire des conserves dans des boîtes de métal mais comme cette méthode n'est plus guère pratiquée que commercialement, je la passe ici sous silence.

Les marinades

Une **marinade** est, soit une préparation où l'on fait mariner les viandes ou les poissons pour les attendrir et les assaisonner, soit tout produit conservé dans le vinaigre ou la saumure.

Le **chutney** original (de l'anglo-indien *chatny*, qui signifie «goûter» ou «lécher») est une sauce aigre-douce à base de fruits, sucre, gingembre, piment et vinaigre. Toutefois, on peut aussi en faire à base de légumes. Un chutney peut être sucré ou aigre, fort ou doux. Les chutneys accompagnent bien les viandes grasses froides ou chaudes, les plats au «curry» indiens, les cheddars, etc.

Un **catsup** (ou ketchup) (du malaisien *kepchop*, mot servant à d'écrire la saumure de poisson au vinaigre) est une marinade plus ou moins liquide et parfois passé au tamis ou au mélangeur électrique après cuisson.

Alors que le **piccalilli** est une marinade de légumes finement hachés, le **chow-chow** est une marinade à la moutarde. Les piccalillis accompagnent bien le jambon et le rôti de porc froid.

Enfin, les **achards** (d'origine réunionnaise) sont des légumes confits dans l'huile et le vinaigre.

Étapes de fabrication:

1. Choisir des légumes frais et fermes. Les nettoyer puis les parer. Épices, condiments et fines herbes doivent aussi être frais. Employer de préférence les épices entières et placées dans un nouet (improprement appelé «sac de coton-fromage», un anglicisme). Si la recette exige des épices moulues, moudre celles-ci dans un mortier ou à la râpe (les grains peuvent être passé au moulin à poivre). En achetant épices et autres assaisonnements en vrac, on fera de notables économies.

2. Reprendre Étape 2 dans **Mise en conserve** (voir plus haut).

3. Suivre les recettes et cuire les marinades le temps requis en les brassant fréquemment surtout vers la fin de la cuisson. L'utilisation d'un diffuseur de chaleur (plaque de métal épaisse, trouée et munie d'un manche de bois qui répartit la chaleur dans le chaudron) s'avère ici des plus pratiques.

4. Remplir les pots stérilisés le plus chaud possible (les pots doivent avoir été placés à l'abri des courants d'air, sur une planche de bois ou quelques épaisseurs de papier-journal). Chasser les bulles d'air des pots avec un couteau. Réserver un espace de tête de 1 cm.

5. Couvrir les pots et les sceller le plus rapidement possible.

6. Reprendre Étape 8 dans **Mise en conserve** (voir plus haut).

La congélation des légumes

De tous les modes de conservation des légumes, la congélation est le plus pratique. Non seulement est-ce le plus rapide mais permet-il de faire des économies (si l'on a un jardin ou si l'on achète les produits en quantités en saison) et d'avoir sous la main des légumes prêts à cuire. Les légumes doivent être le plus frais possible.

Certains légumes ne doivent jamais être congelés, soit qu'ils perdent leur goût et leur texture, soit qu'ils deviennent pleins d'eau et immangeables. Ce sont: le céleri (sauf les feuilles), le concombre, la courgette, la laitue, la pomme de terre, la tomate fraîche, le radis et le chou vert.

D'autres légumes peuvent être congelés mais se conservent bien au froid. Ce sont: les grosses betteraves et carottes, le panais, le navet, le raifort, le rutabaga, le chou rouge et le topinambour.

Étapes de congélation:

1. Nettoyer et parer les légumes.

2. Blanchir (ou cuire) les légumes puis les jeter en eau froide (pour arrêter la cuisson).

3. Égoutter à fond les légumes en les asséchant sur un linge ou du papier-éponge au besoin.

4. Mettre les légumes dans les sacs de plastique (ou, à la rigueur des feuilles d'aluminium). Éviter le papier ciré ou le cellophane de même que les pots qui, au froid, deviennent plus cassants. Ne pas trop remplir les sacs du fait qu'en gelant les légumes prennent plus d'espace. Sceller les sacs en en chassant le plus d'air possible (utiliser de préférence un scelleur électrique).

5. Identifier le produit congelé et inscrire la date de mise au congélateur; on peut de même dresser un inventaire de ce qu'on entrepose au congélateur et de ce qu'on en retire. On peut ainsi s'assurer de ne pas trop congeler d'un légume au détriment d'un autre.

Au moment d'utiliser les légumes, ne les sortir du congélateur qu'à l'instant de les jeter en eau bouillante salée. Ne les cuire que le temps qu'ils faut pour qu'ils soient tendres tout en restant croquants.

Une fois par année au moins, faire le ménage du congélateur, en jetant les produits périmés.

Ne jamais ouvrir le congélateur durant une panne d'électricité.

Les légumes congelés perdent moins d'éléments nutritifs que ceux mis en conserve ou cuits et marinés, même s'ils perdent eux aussi une partie de leurs vitamines (A et C surtout).

Pour les détails, consulter le **Tableau I**.

De quelques autres méthodes de conservation des légumes

Séchage

Bien qu'on puisse sécher nombre de légumes, les seuls qui méritent ce traitement sont, à mon avis, les champignons (voir dans **Conserves de champignons**), les petits piments forts (attachés en paquets d'une douzaine puis placés dans un endroit frais et ventilé à l'abri du soleil) et les haricots.

Pour sécher ces derniers, les blanchir d'abord 3 minutes puis les égoutter à fond et assécher sur un linge. Les étaler ensuite sur une plaque à biscuits puis les sécher au four, en les retournant à quelques reprises, en faisant passer la chaleur du four de 50° C (120° F) à 60° C (140° F) jusqu'à ce qu'ils soient durs et croquants. Si le four n'a pas de circulation d'air, en laisser la porte entrouverte. Garder les haricots dans des sacs de plastique hermétiquement fermés et les garder dans un endroit frais et sec, à l'abri de la lumière. On peut aussi entreposer ces sacs au congélateur. Laisser tremper les haricots 24 heures en eau froide avant de les cuire.

Conserves au sel

On conservait ainsi autrefois un certain nombre de légumes (chou, concombres, champignons, haricots, etc.). Mais comme il s'agit d'une méthode exigeant beaucoup de temps et d'espace, je n'en parle pas davantage. À titre de curiosité, je donne la

recette typique suivante tirée de **Le guide de la cuisine tradition-
nelle acadienne,** de M. Galland et M. Boudreau, Stanké, Montréal: «**Légumes salés:** on conservait en saumure dans des
grands pots de grès, appelés *croques*, certains légumes dont le
chou, le concombre et les *gousses vartes*. Il suffit de mettre une
mince couche de gros sel entre les rangs de légumes et de mettre
un poids dessus afin que les légumes prennent bien la saumure.
Avant de les manger, il faut les faire dessaler à l'eau.»

Conservation dans la graisse ou l'huile

Quoique cette méthode s'applique surtout à la conservation
des viandes (le classique confit d'oie, par exemple), quelques
légumes s'y prêtent. Ce sont les épinards, l'oseille, les poireaux,
le céleri et les tomates en coulis (on pourrait essayer la méthode
avec les jeunes pousses d'ortie). Ces conserves serviront ensuite
dans les soupes et les sauces.

1. Pour les légumes à feuilles tendres (épinard, oseille ou autres),
les nettoyer à fond puis les faire réduire complètement à la marguerite. Les égoutter puis les passer à travers un tamis (ou au
mélangeur) pour en faire une purée. Placer la purée dans un
chaudron propre, la saler et cuire à feu doux en remuant
constamment à la cuiller de bois. Quand la purée a épaissi, la
placer dans des pots petits ou moyens de verre ou de grès, couvrir
d'un linge et laisser refroidir 24 heures. Couvrir alors la purée de
2 cm de saindoux fondu (ou d'huile d'olive de qualité) puis couvrir le pot d'un papier sulfurisé ou graissé qu'on ficelle autour du
pot. Cette purée est excellente (avec de l'ail broyé) avec les pâtes
italiennes genre fettucine (on pourrait probablement conserver
de la même manière le pesto).

2. Pour les légumes à feuilles ou côtes plus coriaces (poireau,
céleri), les nettoyer, parer et couper assez finement. Les étaler sur
une plaque puis les saupoudrer de gros sel et laisser dégorger
toute la nuit. Entasser les légumes dans les pots et terminer par
une couche de gros sel. Placer une mousseline au-dessus du pot
et verser à travers 2 cm de saindoux fondu ou d'huile d'olive.
Finir comme la méthode précédente.

3. Pour les tomates, les blanchir puis jeter en eau froide et peler.
Les cuire ensuite avec de l'ail et du basilic jusqu'à ce qu'elles
soient tendres. Les réduire en purée puis les mettre dans un
chaudron, les assaisonner au goût (sel, poivre et sucre) et cuire à
feu doux sans cesser de remuer. Quand la purée a épaissi, la pla-

cer dans les pots, laisser refroidir 24 heures. Finir comme la méthode 1.

Ces conserves doivent être gardées dans un endroit très frais et à l'abri de toute lumière.

Entreposage des légumes frais
en chambre froide

L'important, dans la conservation des légumes frais, c'est qu'ils soient entreposés avec le maximum de soins dans la manipulation (cueillette et nettoyage) et que l'endroit où on les garde soit sans lumière, frais, sec et bien aéré de même que maintenu, sauf pour les tomates, à une température de $0°$ C ($32°$ F). Il est aussi important de ne garder que des légumes intacts de tout défaut. Il convient de même d'éviter les empilements et d'inspecter de temps à autre les légumes entreposés.

Se conservent plus ou moins longtemps (voir aussi **Tableau III**):

Ail: les laisser sécher à l'air et au soleil quelques jours puis les tresser en chapelets. Les accrocher ensuite dans un lieu frais et bien aéré. L'ail rose se conserve plus longtemps que le blanc.

Betteraves: les parer à l'aide d'un couteau inoxydable. Elles se conservent, soit sous le sable, soit paraffinées. Les feuilles sont cuites comme celles de l'épinard.

Carottes: récoltées par temps frais et nuageux, les carottes mûres parées se conservent plus longtemps sous le sable. Les feuilles peuvent être employées dans les herbes salées ou comme assaisonnement.

Céleri: jeté en eau glacée dès que cueilli, le céleri peut se conserver (feuilles comprises) 3 mois environ, dans des sacs de plastique.

Navets: ils se conservent bien paraffinés. On peut laisser une partie de la récolte en terre pour le printemps suivant. Les feuilles sont comestibles.

Oignons: récoltés à maturité et attachés en bottes, ils peuvent se conserver de 6 à 8 mois. Les garder accrochés dans un lieu sec et aéré.

Panais: procéder comme pour les carottes. On peut laisser une partie de la récolte en terre pour le printemps suivant.

Poireaux: une fois cueillis et parés, les jeter en eau glacée. Les laisser sécher avant de les entreposer. Ils se conservent aussi très bien sous le sable.

Pommes de terre: les récolter par temps couvert deux semaines après la mort des tiges. Ne pas les laisser exposées aux rayons du soleil qui provoque l'accumulation de solanine dans les peaux. Les faire sécher avant de les entreposer. Très sujettes à la pourriture, elles doivent être fréquemment examinées.

Raifort: comme la plante est vivace, ne prélever que ce qu'on prévoit employer. Les racines se conservent mieux cirées.

Salsifis: procéder comme pour les carottes. Manipuler avec grand soin car la racine noircit dès qu'elle est meurtrie. On peut garder une partie de la récolte en terre pour le printemps suivant (les légumes laissés en terre doivent être cueillis dès que la terre peut se travailler au printemps car ils deviennent alors rapidement ligneux).

Tomates: celles-ci peuvent se conserver de 2 à 3 semaines, à 18° C (65° F). On les cueille vertes (mais assez grosses), exemptes de tout défaut puis on les enveloppe individuellement dans du papier-journal. Elles sont ensuite empilées dans des boîtes de carton ou de bois.

Conserves

Conserve d'asperges

Couper les queues des asperges à une longueur égale. Les attacher en paquets de 6 puis les blanchir de 2 à 3 minutes. Les jeter ensuite en eau froide, les égoutter puis les placer la pointe en bas dans les bocaux. Couvrir d'eau, mettre 1 c. à thé par pot d'1 litre et stériliser 2 heures (35 minutes sous pression).

***

Conserve d'aubergines

Choisir de petites aubergines puis les blanchir en eau salée durant 3-4 minutes. Les jeter ensuite en eau froide, les égoutter puis peler. Les couper en 4 ou 8 morceaux sur le long puis les placer dans les bocaux sans les tasser. Couvrir d'eau et mettre 1 c. à thé de sel par pot d'1 litre. Stériliser les pots durant 1 heure (20 minutes sous pression).

***

Conserve(s) de champignons

Avec la congélation (voir **Tableau I**), le séchage est la meilleure méthode de conservation des champignons. Elle s'applique aux morilles et aux chanterelles (entières ou coupées en deux si elles sont trop grosses), aux trompettes de la mort et aux marasmes (entiers), aux bolets à chair ferme, aux psalliotes (ou champignons de couche) (ces deux derniers coupés en lamelles), etc.. Quant à la gyromitre, **elle doit être séchée de manière à perdre sa toxicité.**

Pour sécher les champignons, il suffit de les placer sur des claies d'osier ou de les enfiler en chapelets et de les suspendre; dans un cas comme dans l'autre, les champignons doivent être mis dans un lieu aéré, frais et sec, en évitant toutefois de les placer au soleil. Une fois bien séchés, on les garde dans des sacs de papier ou de plastique. Au moment de les utiliser, il suffit de les mettre dans de l'eau froide durant 24 heures.

Il existe d'autres manière de conserver les champignons (dans le sel, dans l'huile, dans le vinaigre) mais ils perdent ainsi souvent leur texture, leur parfum et leur goût. Seuls les champignons de couche devraient être mis en conserve (voir **Tableau II**).

***

Conserve de haricots

Parer les haricots puis les couper en morceaux de 2 1/2 cm (s'ils sont jeunes, les laisser entiers). Les blanchir 3 minutes puis les jeter en eau froide. Placer dans les bocaux, en comptant 1 c. à thé de sel par pot d'un litre. Stériliser 2 heures (35 minutes sous pression).

***

Conserve de jus de tomates

2 paniers de tomates
2 pieds de céleri
3 poivrons verts
2 oignons
2 tasses de cassonade
Sel et poivre au goût

Parer les légumes et les couper puis les cuire 30 minutes. Les retirer du feu et laisser refroidir un peu puis les passer au mélangeur électrique. Remettre le jus obtenu dans le chaudron, ajouter la cassonade, du sel et du poivre au goût. Ramener à ébullition puis couler dans les pots et placer les couvercles. Stériliser 2 heures (30 minutes sous pression).

***

Conserve de maïs en grains

Blanchir les épis durant 15 minutes puis les jeter en eau froide. À l'aide d'un bon couteau, égrener les épis. Remplir des pots d'1/2 litre et couvrir le maïs d'eau bouillante salée (à raison d'1/2 c. à thé de sel par pot). Placer les couvercles puis stériliser les pots durant 3 heures (40 minutes sous pression).

***

Conserve de pâte de tomates

Tomates bien mûres (italiennes de préférence)
Sel
Feuilles de basilic (facultatif)

Couper les tomates en quartiers en en rejetant les parties vertes ou abîmées. Laisser reposer durant 30 minutes. Couvrir le chaudron et mijoter durant 20 minutes. Passer le tout au chinois. Mettre la pulpe et le jus obtenu dans un sac à gelée et laisser égoutter pendant 1 heure. Placer ensuite la pulpe dans un chaudron puis la cuire à feu doux en la brassant fréquemment durant 40 minutes ou jusqu'à ce que la pâte soit très épaisse. Placer la pâte dans de petits pots ou des plats de plastique, ajouter un peu de sel et, si on le désire, 2 ou 3 feuilles de basilic en surface. Congeler les plats ou stériliser les pots couverts durant 2 heures (30 minutes sous pression). (3,6 kilos de tomates donnent environ 2 3/4 tasses de pâte)

***

Conserve de petits pois

Écosser les pois puis les blanchir 3 minutes et jeter en eau froide. Les égoutter puis les placer dans des bocaux d'1/2 litre. Les couvrir d'eau (en ajoutant 1/2 c. à thé de sel par pot), placer les couvercles et stériliser 3 heures (40 minutes sous pression).

***

Conserve de poivrons rouges doux

Allumer l'élément supérieur du four puis placer les poivrons entiers sur une plaque à biscuits légèrement huilée. Faire carboniser la peau des poivrons en les retournant à quelques reprises puis les retirer du four. Laisser refroidir un peu puis peler les poivrons après les avoir coupés en quatre. Couper les poivrons en larges lanières et les placer dans de petits pots. Amener un peu de vinaigre à ébullition, y dissoudre un peu de sel puis en couvrir les poivrons. Bien mêler de manière à ce que les poivrons baignent complètement dans le vinaigre. Couvrir et garder au froid. Cette conserve peut se consommer telle quelle ou être employée dans une recette où sont requis des poivrons. On peut aussi conserver les poivrons dans une bonne huile d'olive (vierge et pressée à froid) mais sans cuire celle-ci. (Voir aussi **Antipasto**.)

***

Conserve de têtes-de-violon

Nettoyer les têtes-de-violon (pousses de fougère) dans plusieurs eaux froides de manière à les débarrasser le plus possible de leurs écailles rouilles. Blanchir ensuite 2 minutes puis jeter en eau froide et finir de nettoyer les pousses. Les placer dans des bocaux d'1/2 litre en ajoutant 1/2 c. à thé de sel par pot. Placer les couvercles et stériliser durant 2 heures (35 minutes sous pression).

***

Conserve de tomates entières

Prendre de belles grosses tomates mûres, les blanchir dans l'eau bouillante pendant 3 minutes puis les jeter en eau froide. Peler les tomates puis les réduire en purée en les faisant cuire 20 minutes. Choisir ensuite de petites tomates mûres mais fermes, les blanchir, passer en eau froide, peler puis mettre dans les pots. Couvrir les tomates de la purée en ajoutant un peu de sucre et 1 c. à thé de sel par pot d'1 litre. Placer les couvercles et stériliser les pots durant 2 heures (30 minutes sous pression). On peut parfumer les tomates en leur ajoutant une herbe fine au goût (basilic, origan, thym).

***

Chutneys et relishes

Chutney à la rhubarbe

7 tasses de rhubarbe coupée
1 gros oignon
1 tasse de vinaigre
1 1/4 tasse de sucre
3/4 de c. à thé de sel
1 c. à thé de gingembre moulu
1 c. à thé de cannelle moulue
1/4 de c.à thé de clou de girofle moulu
1/4 de c. à thé de quatre-épices moulu
Une pincée de poivre de cayenne
1 c. à thé d'épices à marinade

Parer la rhubarbe et la couper en morceaux d'1 cm. Peler et hacher l'oignon. Mélanger la rhubarbe, l'oignon et le vinaigre et cuire 20 minutes environ. Ajouter le reste des ingrédients et cuire 40 minutes en brassant fréquemment surtout vers la fin de la cuisson. Empoter chaud et sceller. (3 pots d'1/4 de litre environ)

***

Chutney à l'ananas

1 1/2 kilo d'ananas frais coupé en dés
3 tasses de vinaigre de cidre
3 tasses de sucre
1 c. à thé de piment fort broyé
3 gousses d'ail broyées
2 c. à soupe de gingembre frais râpé
1 c. à soupe de gros sel
1 tasse de raisins secs
1 tasse d'amandes blanchies hachées

Parer et couper l'ananas puis faire un sirop avec le vinaigre et le sucre. Ajouter l'ananas et le reste des ingrédients. Bien mêler et cuire le tout durant 2 heures en brassant fréquemment, surtout vers la fin de la cuisson. Empoter chaud et sceller. Chutney excellent avec le jambon chaud. (2 litres)

***

Chutney au citron

1 c. à soupe de graines de cumin
1 c. à soupe de graines de fenouil
1 c. à soupe de graines de moutarde
1 c. à soupe de graines de fenugrec
1 1/2 tasse d'huile de moutarde
5 c. à soupe de sel
3 c. à soupe de poivre grossièrement moulu
2 c. à soupe de poivre de cayenne
3/4 de c. à thé de curcuma
1,350 kilo de gros citrons
6 piments jalapenos

Moudre les quatre premiers ingrédients. Chauffer doucement l'huile puis retirer le chaudron du feu et ajouter les graines moulues, le sel, le poivre, le poivre de cayenne et le curcuma. Trancher finement les citrons (avec les zestes) et les ajouter au mélange avec les piments grossièrement hachés. Bien mêler le tout et verser dans les pots. Placer les couvercles et stériliser les pots 1 heure (20 minutes sous pression). Excellent avec diverses viandes, le poisson et les pétoncles braisés. (6 tasses)

***

Chutney aux abricots

1/4 de kilo d'abricots séchés mis à tremper une nuit
1/2 kilo de pommes hachées
1 oignon haché
2 c. à thé de zeste de citron râpé
2 c. à soupe de jus de citron
1 c. à thé de sel
4 tasses de vinaigre épicé 1, 2 ou 3 (voir recettes)
1/2 kilo de sucre blanc ou de cassonade

Placer tous les ingrédients (sauf le sucre) dans un grand chaudron et mijoter 45 minutes environ. Ajouter alors le sucre et bien le dissoudre puis mijoter 20 minutes de plus en brassant fréquemment, surtout vers la fin de la cuisson. Empoter chaud et sceller.

***

Chutney aux fruits

1 kilo d'abricots dénoyautés et hachés
1 kilo de pommes à cuire pelées, épépinées et hachées
4 pêches pelées, dénoyautées et hachées
2 oignons moyens
225 g de raisins secs
4-5 c. à soupe de gingembre frais pelé et haché
3/4 de c. à thé de muscade râpée
3/4 de c. à thé de quatre-épices moulu
3/4 de c. à thé de moutarde sèche
1 zeste de citron râpé
2 oranges (jus et zeste râpé)
3 tasses de vinaigre de vin blanc
450 g de sucre
450 g de cassonade

Dans un grand chaudron, mêler les fruits, l'oignon, les raisins, les épices, le zeste de citron, le jus et le zeste d'orange et 2 tasses de vinaigre. Mijoter le tout durant 1 à 1 1/2 heure jusqu'à ce que le tout soit bien tendre, en remuant souvent le mélange. Incorporer ensuite le reste des ingrédients et mijoter encore 40 à 50 minutes jusqu'à ce que le chutney soit très épais. Remplir les pots stérilisés chauds, chasser les bulles d'air des pots avec un couteau. Sceller les pots.

***

Chutney aux groseilles à maquereau

250 g d'oignon haché
2 kilos de groseilles à maquereau équeutées aux deux bouts
400 g de raisins secs
700 g de sucre
1 c. à soupe de sel
2 c. à thé de gingembre moulu
1 c. à thé de poivre de cayenne
2 3/4 tasses de vinaigre

Cuire les oignons dans l'eau jusqu'à ce qu'ils soient tendres puis les égoutter. Les placer ensuite avec le reste des ingrédients dans le chaudron et cuire le tout jusqu'à ce que le chutney épaississe, en brassant souvent le mélange, surtout vers la fin de la cuisson. Excellent avec le poisson grillé ou le porc rôti.

***

Chutney aux mangues

3 mangues mûres mais fermes (environ 1,2 kilo)
1 tasse de jus de mangue ou de pamplemousse rose
1/2 tasse de jus de citron
4 gousses d'ail
1 morceau de gingembre frais de 2,5 cm
1 tasse de sucre
1 c.à thé de coriandre moulue
1/2 de c. à thé de gingembre moulu
1/4 de c. à thé de moutarde sèche
1/4 de c. à thé de poivre de cayenne
2 c. à soupe de petits piments rouges forts broyés
1/2 tasse d'amandes blanchies et finement tranchées

Peler les mangues puis les couper en deux, les dénoyauter et couper en tranches de 1 cm de longueur. Les placer ensuite dans le chaudron avec le jus de mangue ou de pamplemousse et le jus de citron et cuire environ 8 minutes en brassant fréquemment. Placer les mangues dans un bol avec une écumoire. Placer 1/2 tasse du jus de cuisson avec l'ail et le gingembre frais dans le mélangeur et réduire en purée. Remettre cette purée dans le jus de cuisson. Incorporer le sucre, la coriandre, le gingembre moulu, la moutarde et le poivre de cayenne et mijoter le tout 10 minutes en brassant souvent. Ajouter les mangues et les piments et cuire 12 minutes toujours en brassant. Incorporer ensuite les amandes. Placer le chutney dans les pots en chassant bien les bulles d'air avec un couteau. Placer les couvercles et stériliser les pots 1 heure (20 minutes sous pression). Excellent avec les côtelettes ou le gigot d'agneau (4 tasses environ).

***

Chutney aux pêches

6 tasses de pêches pelées et hachées
4 tasses de pommes épépinées, pelées et hachées
2 tasses de raisins secs
4 tasses de cassonade
2 c. à thé de cannelle moulue
1 c. à thé de clou de girofle moulu
1 c. à thé de quatre-épices moulu
2 c. à thé de sel
1/8 de c. à thé de poivre noir
1 1/2 tasse de vinaigre de cidre

Mélanger tous les ingrédients et cuire 1 heure environ en brassant fréquemment, surtout vers la fin de la cuisson. Empoter chaud et sceller. (1 1/2 litre)

***

Chutney aux pommes

2 kilos de pommes
500 g de raisins secs
4 oignons hachés
1 petit piment fort (facultatif)
1 c. à soupe de graines de moutarde
3 c. à soupe de zeste de citron haché
2 c. à thé de gingembre
4 tasses de vinaigre
1 kilo de cassonade

Cuire tous les ingrédients jusqu'à consistance assez épaisse, en brassant souvent le mélange, surtout vers la fin de la cuisson. Empoter chaud et sceller.

***

Chutney aux prunes

2 1/4 kilos de prunes
1,8 kilo de pommes à cuire
3 gros oignons
1 c. à soupe de quatre-épices moulu
1 c. à soupe de clou de girofle moulu
1 c. à soupe de gingembre moulu
Sel au goût
1,8 kilo de cassonade
1/4 de c. à thé de poivre de cayenne
3 tasses de vinaigre de malt ou de cidre

Parer les prunes, les pommes et les oignons et les hacher. Mêler avec le reste des ingrédients et cuire doucement jusqu'à ce que le mélange épaississe, en brassant souvent, surtout vers la fin de la cuisson. Verser le chutney dans les pots stérilisés, en chasser les bulles d'air avec un couteau. Sceller les pots et les garder au frais.

***

Chutney aux tomates et à l'ail

675 g de tomates blanchies, pelées et hachées
2 piments jalapenos émincés
1 c. à soupe de gingembre frais pelé et haché
1/3 de tasse d'huile d'olive
6 petits piments rouges forts (entiers)
1/2 c. à thé de graines de cumin
1/4 de c. à thé de graines de fenugrec
1/2 c. à thé de moutarde sèche
1/4 de tasse de gousses d'ail finement tranchées

Mêler les tomates, les piments jalapenos et le gingembre dans un grand bol. Chauffer doucement l'huile dans un grand chaudron, incorporer les piments rouges forts et cuire 2 minutes. Réduire le feu et ajouter le cumin et le fenugrec et cuire 1 minute. Incorporer la moutarde, bien mêler puis ajouter l'ail et cuire 2 minutes. Ajouter le premier mélange et cuire le tout durant 30 minutes, en brassant fréquemment. Assaisonner de sel au goût. Cuire le chutney jusqu'à ce que l'huile se sépare du chutney. Garder au froid (congelé, ce chutney peut se garder un an). Servir le chutney à la température de la pièce. Excellent avec toutes les viandes grillées. Ne pas manger les petits piments qui sont vraiment trop... explosifs.

***

Chutney aux tomates vertes

12 tomates vertes moyennes
6 oignons
2 poivrons verts
1 poivron rouge doux
2 c. à soupe de graines de moutarde
1 c. à soupe de sel
900 g de sucre blanc
3 tasses de vinaigre
6 pommes à cuire

Passer les légumes au hachoir puis les cuire avec les autres ingrédients (sauf les pommes) jusqu'à ce que les légumes soient tendres. Ajouter les pommes parées et hachées 15 minutes avant la fin de la cuisson. Empoter chaud et sceller.

***

Chutney classique (sans cuisson)

2 grosses tomates bien mûres
1 c. à soupe de cassonade
1 gros poivron vert coupé en dés
1 gros poivron rouge coupé en dés
1 oignon haché finement
1 tasse de jus de citron frais
Le zeste d'un citron râpé
1 c. à thé de poudre de cari

Hacher grossièrement les tomates avec les peaux et les couvrir de cassonade. Ajouter les poivrons coupés et l'oignon haché. Mêler délicatement. Dans un bol, mêler le jus de citron, le zeste de citron et la poudre de cari. Couvrir les légumes de cette sauce et bien mêler. Laisser reposer 1 heure en mêlant le tout à quelques reprises. Garder au froid. Excellent avec les viandes grillées, le rôti de porc et les plats au «curry» indiens. (3 tasses)

***

Chutney «ratatouille»

1 kilo de tomates mûres blanchies, pelées et hachées
1/2 kilo d'oignons espagnols hachés
1/2 kilo de courgettes finement tranchées
1 gros poivron vert grossièrement haché
1 gros poivron rouge doux grossièrement haché
1 aubergine coupée en dés
2 grosses gousses d'ail broyées
1 c. à soupe de sel
1 c. à soupe de poivre de cayenne
1 c. à soupe de paprika
1 c. à soupe de coriandre moulue
2 1/2 tasses de vinaigre de malt
350 g de sucre

P lacer les légumes préparés dans un grand chaudron, ajouter le sel et les épices puis couvrir et mijoter à l'étouffée jusqu'à ce que les légumes rendent leur eau, en brassant de temps à autre. Quand le mélange bout, découvrir le chaudron puis mijoter 1 à 1 1/2 heure. Ajouter le vinaigre et le sucre puis cuire 1 heure de plus jusqu'à ce que le chutney épaississe. Brasser fréquemment le mélange, surtout vers la fin de la cuisson. Empoter chaud et sceller.

***

Relish au maïs

4 tasses de vinaigre de cidre
225 g de sucre
1 c. à thé de sel
1 1/2 c. à soupe de moutarde sèche
1 c. à thé de curcuma
450 g de chou blanc
2 oignons
2 poivrons verts
2 poivrons rouges doux
1 kilo d'épis de maïs
2 c. à soupe de farine

P lacer le vinaigre, le sucre, le sel et les épices dans le chaudron et amener à ébullition puis laisser reposer. Hacher finement le chou, les oignons et les poivrons et ajouter au vinaigre. Egrener les épis et ajouter le maïs au mélange. Amener à ébullition et incorporer la farine délayée dans un peu du liquide de cuisson. Mijoter durant 45 minutes jusqu'à ce que le tout soit très épais. Brasser souvent le mélange, surtout vers la fin de la cuisson. Empoter chaud et sceller.

***

Relish aux betteraves (sans cuisson)

4 tasses de chou finement haché
4 tasses de betteraves cuites et finement hachées
2 tasses de sucre blanc
1 c. à soupe de sel
1 c. à thé de poivre
1 tasse de raifort râpé
Vinaigre bouillant pour couvrir

M êler tous les ingrédients (sauf le dernier). Chauffer le vinaigre, en couvrir le mélange, bien mêler puis mettre en pots et sceller ceux-ci. Garder au frais.

***

Relish aux concombres

20 concombres moyens hachés
1/2 tasse de gros sel
4 gros oignons finement hachés
4 tasses de sucre
4 tasses de vinaigre
1 1/2 c. à thé de curcuma
1 1/2 c. à thé de clou de girofle moulu
2 c. à soupe de graines de moutarde
1/2 c. à soupe de graines de céleri
1 poivron rouge doux haché

P asser les concombres au hachoir, les saupoudrer de gros sel et laisser reposer durant 4 heures. Bien rincer à l'eau froide et égoutter à fond. Placer ensuite le concombre avec les autres ingrédients et cuire 25 minutes ou jusqu'à consistance désirée. Empoter chaud et sceller.

***

Relish aux concombres et aux poivrons

4 tasses de concombre finement haché
2 gros poivrons verts finement hachés
1 gros poivron rouge doux finement haché
1 gros poivron jaune doux finement haché
1 tasse de céleri finement haché
1 petit piment fort frais finement haché (facultatif)
1/4 de tasse de gros sel
Eau froide
3 1/2 tasses de sucre blanc
2 tasses de vinaigre
1 c. à soupe de graines de moutarde
1 c. à soupe de graines de céleri

D ans un grand plat, mêler les légumes hachés, les couvrir de sel puis d'eau froide et laisser reposer de 3 à 4 heures. Égoutter, rincer à l'eau froide puis égoutter de nouveau à fond. Dans un grand chaudron, mêler tous les ingrédients et cuire de 10 à 15 minutes où jusqu'à ce que les légumes soient transparents. Empoter chaud et sceller. (5 tasses environ)

***

Relish aux poivrons

1,5 kilo de poivrons rouges doux
1,5 kilo de poivrons verts
1,5 kilo d'oignons
4 tasses de vinaigre
1 tasse de sucre
1 c. à thé de graines de moutarde
1 c. à soupe de moutarde sèche
1 c. à soupe de graines de céleri
2 c. à soupe de sel

Parer les légumes puis les passer au hachoir en utilisant la grosse lame. Placer le tout dans un grand chaudron puis couvrir d'eau bouillante et laisser reposer 5 minutes. Égoutter à fond puis remettre dans le chaudron avec le reste des ingrédients. Cuire de 10 à 15 minutes en brassant fréquemment. Empoter chaud et sceller. (3 litres)

***

Relish aux tomates (sans cuisson)

12 tomates bien mûres
1 gros oignon émincé
4 branches de céleri haché fin
1 poivron rouge doux haché fin
1/2 tasse de sucre
1 c. à soupe de graines de moutarde
1/2 tasse de vinaigre de cidre
Sauce Tabasco (facultatif)

Blanchir les tomates, les jeter en eau froide puis les peler. Les laisser égoutter puis les hacher. Ajouter les autres légumes préparés, le sucre, les graines de moutarde et le vinaigre, bien mélanger le tout et mettre dans les pots stérilisés. Pour rendre la relish plus piquante, on peut y ajouter quelques gouttes de sauce Tabasco. Prêt à être utilisé au bout de 2 jours. Conserver au froid. (4 tasses)

***

68

Relish aux tomates vertes

8 tomates vertes moyennes
8 pommes à cuire
1 poivron vert
1 poivron rouge doux
2 oignons moyens
1 tasse de raisins secs
5 tasses de vinaigre
2 c. à soupe de sel
3 1/2 tasses de sucre
1 c. à thé de clou de girofle moulu
1 c. à thé de cannelle moulue

Hacher tous les légumes parés, les pommes et les cuire avec le reste des ingrédients jusqu'à ce que le mélange épaississe. Remuer fréquemment, surtout vers le fin de la cuisson. Empoter chaud et sceller.

***

Relish crue

12 oignons
1 gros chou
8 carottes
4 poivrons verts
4 poivrons rouges doux
Gros sel
3 tasses de vinaigre blanc
6 tasses de sucre
2 c. à thé de graines de céleri
2 c. à thé de graines de moutarde

Hacher tous les légumes parés puis les empiler dans un grand plat en les saupoudrant de gros sel à mesure. Couvrir et laisser reposer 2 heures puis égoutter à fond. Mélanger les légumes avec le reste des ingrédients, emplir les pots et les sceller. Laisser reposer au moins 2 semaines avant d'utiliser. Garder les pots au frais.

***

Relish d'automne

5 tomates vertes
2 poivrons rouges doux
3 oignons
10 concombres moyens
2 poivrons verts
1/4 de tasse de gros sel
4 tasses de vinaigre
4 tasses de sucre

Hacher tous les légumes puis les placer dans un grand plat, couvrir de sel et laisser reposer toute la nuit. Le lendemain, égoutter le tout puis cuire doucement dans le vinaigre durant 30 minutes environ. Empoter chaud et sceller.

***

Marinades, piccalillis et chows-chows

Achards

1 petit chou-fleur coupé en petits bouquets
250 g de chou vert finement tranché
250 g de haricots verts finement tranchés
250 g de carottes finement tranchées
250 g de céleri finement tranché
50 g de gingembre frais
4 gousses d'ail
250 g d'oignons finement tranchés
60 g de gros sel
10 c. à soupe d'huile d'olive
1 c. à soupe de vinaigre
1 c. à thé de curcuma

P réparer les légumes puis les blanchir quelques secondes en eau bouillante salée. Les égoutter à fond puis les mettre à sécher sur une plaque à biscuits au soleil (ou à four doux ouvert). Ensuite, piler le gingembre au mortier et incorporer tour à tour l'ail, l'oignon et le sel. Couvrir avec l'huile chaude auquel on a ajouté le vinaigre et le curcuma. Laisser macérer le tout. Quand les légumes sont bien desséchés, bien les mêler avec la sauce en ajoutant, si désiré, un peu de piment fort frais. Mettre les légumes en bocaux et attendre 8 jours au moins avant de consommer.

***

Ail des bois mariné

Ail des bois
Vinaigre
Poivre en grains
Graines de moutarde
Clous de girofle
Feuilles de laurier

Après avoir débarrassé les bulbes de leurs radicelles et de leurs feuilles (qu'on réserve), les cuire pendant une dizaine de minutes dans une partie d'eau et deux parties de vinaigre. Les placer ensuite dans les pots stérilisés et les couvrir du liquide de cuisson en ajoutant des épices au goût. Sceller les pots. On peut, avec les feuilles, faire une soupe ou un beurre à l'ail exquis (voir **Le grand livre des fines herbes**).

***

Betteraves marinées I

10 grosses betteraves
1 1/2 tasse d'eau
1 1/2 tasse de vinaigre
2 tasses de sucre
1 c. à soupe de cannelle moulue
1 c. à thé de clous de girofle
1 c. à thé d'épices à marinade

Cuire les betteraves dans beaucoup d'eau avec au moins 5 cm de tige (pour éviter de les faire «saigner») jusqu'à ce qu'elles soient tendres. Laisser ensuite refroidir les betteraves puis les peler et les trancher. Amener l'eau et le vinaigre à ébullition, y dissoudre le sucre. Ajouter les betteraves au mélange avec le nouet d'épices et mijoter le tout 20 minutes environ. Empoter chaud et sceller.

***

Betteraves marinées II

20 betteraves moyennes
2 tasses de vinaigre
2 tasses d'eau
125 g de sucre
Petits oignons blancs (facultatif)
1 c. à soupe d'épices à marinade
Ail, grains de poivre, feuilles de laurier

Procéder comme pour la recette précédente en ajoutant à la fin dans chaque pot 1 ou 2 gousses d'ail, 4 à 5 grains de poivre et 1 feuille de laurier. Sceller aussitôt. (Voir aussi **Petites betteraves marinées**)

***

Boutons d'hémérocalle confits

(L'hémérocalle, ou *lis d'un jour*, est ce lis orange devenu sauvage au Québec et qu'on trouve en abondance dans certaines régions.)

900 g de boutons floraux d'hémérocalle
5 petits piments forts
5 gousses d'ail
5 tasses de vinaigre
1/2 tasse d'eau
6 c. à soupe de sel
1 c. à soupe de graines de céleri
1 c. à soupe de graines de moutarde

Laver puis égoutter à fond les boutons (encore bien fermés) puis les placer dans des bocaux d'1/2 litre. Mettre 1 petit piment et une gousse d'ail dans chaque pot. Amener les autres ingrédients à ébullition et en couvrir les boutons. Sceller et stériliser les pots 30 minutes (10 minutes sous pression).

***

Brocoli mariné à l'estragon

1,350 g de brocoli coupé en morceaux d'une bouchée
Saumure: 1/2 tasse de sel de table dans 10 tasses d'eau
3 tasses de vinaigre de vin blanc
1 tasse d'eau
1/4 de tasse de sel (au besoin)
3 c. à soupe d'épices à marinade (dans un nouet)
1 bouquet d'estragon frais (80 g environ)
ou 2 c. à soupe d'estragon séché
1 c. à soupe de grains de poivre noir

P réparer les morceaux de brocoli puis les couvrir de saumure et laisser reposer jusqu'au lendemain. Les rincer et égoutter à fond puis placer dans les pots stérilisés. Cuire le reste des ingrédients 10 minutes puis en couvrir le brocoli en répartissant également l'estragon dans les pots. Placer les rondelles et les couvercles et stériliser les pots durant 1 heure (20 minutes sous pression).

***

Céleri mariné (de ma grand-mère)

6 pieds de céleri hachés fin
2 gros oignons finement hachés
50 g de moutarde sèche
50 g de graines de moutarde
1 c. à thé de poivre noir
1 c. à soupe de sel
650 g de cassonade
1 c. à thé de curcuma
4 tasses de vinaigre

M êler tous les ingrédients et cuire jusqu'à ce que le céleri soit bien tendre. Empoter chaud et sceller.

***

Champignons marinés

450 g de champignons de couche
1/2 tasse de vinaigre à l'estragon
1 c. à thé de sucre
Sel

Nettoyer puis trancher les champignons. Les faire tremper en eau salée 2-3 heures. Chauffer le vinaigre avec le sucre et un peu de sel; y jeter les champignons et mijoter 3 minutes. Empoter chaud et sceller.

***

Choux-fleurs marinés

2 gros choux-fleurs
4 tasses de vinaigre
1 c. thé d'épices à marinade
2 c. à thé de clous de girofle
2 piments forts
1/2 tasse de sucre
2 c. à thé de moutarde sèche

Couper les choux-fleurs en morceaux d'une bouchée puis les blanchir 5 minutes; les égoutter et jeter aussitôt en eau froide. Faire bouillir le vinaigre avec les épices et les piments. Égoutter à fond les choux-fleurs, les placer dans les pots. Ajouter au vinaigre le sucre et la moutarde, bien mêler puis verser sur les choux-fleurs. Sceller aussitôt les pots. (3-4 litres)

***

Chow-chow I

3,5 kilos de tomates vertes
1/2 tasse de gros sel
3 poivrons verts
3 tasses de choux finement haché
3 oignons
6 1/2 tasses de vinaigre
2 tasses de sucre
1 c. à soupe de graines de céleri
1 c. à soupe de graines de moutarde
1/2 c. à soupe de clous de girofle entiers

Passer les tomates au hachoir en utilisant la grosse lame. Mêler avec le sel et laisser reposer 30 minutes. Placer alors le tout dans un sac de mousseline et laisser égoutter toute la nuit. Le jour suivant, passer au hachoir les autres légumes. Placer tous les légumes dans le chaudron avec le vinaigre, le sucre et les épices placées dans un nouet. Cuire le tout à feu doux 20 minutes environ ou jusqu'à ce que les légumes soient tendres. Empoter chaud et sceller. (3 litres)

***

Chow-chow II

400 g de fèves blanches
4 poivrons verts et rouges doux
1 choux-fleur moyen
500 g de haricots verts
250 g de grains de maïs
4 tasses de vinaigre
175 g de cassonade
25 g de moutarde sèche
3 c. à soupe de graines de moutarde
2 c. à thé de curcuma

F aire tremper les fèves toute la nuit en eau froide puis les cuire jusqu'à ce qu'elle soient tendres tout en restant croquantes. Parer les légumes, les couper puis les cuire séparément jusqu'à ce qu'ils soient tendres. Les égoutter. Verser le vinaigre dans un chaudron, y dissoudre la cassonade et la moutarde sèche et ajouter les graines de moutarde et le curcuma Amener à ébullition et cuire 2-3 minutes puis ajouter les légumes et ramener au point d'ébullition sans cuire. Empoter chaud et sceller.

***

Chow-chow au maïs

4 tasses de chou vert finement haché
4 tasses de chou-fleur finement haché
4 tasses de grains de maïs (5 épis)
1 gros poivron rouge doux finement haché
1 gros poivron vert finement haché
1 tasse d'oignon finement haché
2 c. à soupe de gros sel
Eau bouillante
1 3/4 tasse de sucre
1 c. à soupe de moutarde sèche
2 c. thé de curcuma
4 c. à thé de graines de moutarde
4 c. à thé de graines de céleri
3 tasses de vinaigre de cidre
3 c. à soupe de fécule de maïs
1/4 de tasse d'eau froide

Dans un grand plat, mêler les légumes hachés couvrir de 2 c. à soupe de gros sel puis d'eau bouillante. Laisser reposer 1 heure puis égoutter, rincer et égoutter de nouveau à fond. Dans un grand bol, mêler le sucre, la moutarde sèche, le cucurma, les graines de moutarde et de céleri puis faire une pâte avec le vinaigre. Ajouter aux légumes placés dans un grand chaudron, amener à ébullition puis mijoter 30 minutes, jusqu'à ce que les légumes soient tendres. Mêler la fécule et l'eau froide et ajouter ce mélange aux légumes. Cuire 2-3 minutes de plus. Empoter chaud et sceller.(2 litres)

***

Chow-chow aux tomates

4 litres de tomates rouges
2 litres de tomates vertes
12 oignons
2 choux moyens
1 poivron rouge doux
1 tasse de gros sel
1 tasse de raifort râpé
4 tasses de cassonade
1 c. à soupe de moutarde sèche
1 c. à soupe de graines de céleri
1 c. à thé de poivre noir
Vinaigre pour couvrir

Hacher les légumes, les placer dans un grand plat puis couvrir de gros sel. Laisser reposer toute la nuit. Le lendemain, égoutter les légumes puis les placer dans un grand chaudron avec les autres ingrédients. Couvrir de vinaigre et cuire 1 heure environ. Empoter chaud et sceller.

***

Concombres à la moutarde

10 tasses de concombres coupés en cubes d'1 cm cube
1 1/2 tasse d'oignon grossièrement haché
2 c. à soupe de gros sel
1/2 tasse de farine
2 c. à thé de sel
1/2 tasse de moutarde sèche
1 c. à thé de curcuma
2 tasses de cassonade
2 1/2 tasses de vinaigre
1 c. à soupe de graines de céleri

Mélanger les légumes avec le gros sel et laisser dégorger 1 heure. Égoutter, rincer et égoutter de nouveau à fond. Cuire ensuite dans 2 tasses d'eau de 10 à 15 minutes, jusqu'à ce que les légumes soient tendres. Mélanger la farine, le sel, la moutarde, le curcuma, le sucre et 1/2 tasse de vinaigre et en faire une pâte claire. Amener le vinaigre et les graines de céleri à ébullition et l'ajouter à la pâte à la moutarde. Cuire le tout durant 5 minutes environ. Ajouter les légumes et amener le tout à ébullition, sans cuire. Empoter chaud et sceller aussitôt. (2 litres)

***

Concombres mûrs marinés

8 à 10 gros concombres mûrs
1/2 tasse de gros sel
2 tasses de vinaigre de cidre
2 tasses de sucre
2 écorces de cannelle
1 c. à soupe de clous de girofle
2 c. à soupe de quatre-épices
1 c. à soupe de graines de moutarde

Peler et trancher les légumes sur le long, en retirer les graines. Tailler en morceaux de 2 1/2 cm, couvrir de gros sel et laisser reposer jusqu'au lendemain. Égoutter les concombres, les rincer et égoutter de nouveau. Amener le vinaigre à ébullition, y dissoudre le sucre, ajouter les épices placées dans un nouet et mijoter le tout pendant 5 à 8 minutes. Cuire ensuite les concombres dans le sirop durant 5 minutes environ, jusqu'à ce qu'ils soient tendres et transparents. Les placer ensuite dans les pots, retirer le nouet du vinaigre, ramener celui-ci à ébullition et en couvrir les concombres. Sceller les pots. (2 litres)

***

Concombres tranchés marinés

12 concombres
4 gros oignons
Gros sel
1 1/2 tasse de sucre
1 c. à thé d'épices à marinade (dans un nouet)
1 c. à thé de curcuma
1 c. à thé de moutarde sèche
4 c. à thé de graines de moutarde
2 c. à thé de sel
4 tasses de vinaigre

Trancher les concombres et les oignons le plus finement possible. Les empiler dans un grand plat en les saupoudrant de gros sel à mesure et laisser dégorger toute la nuit. Le jour suivant, rincer à fond puis égoutter les légumes. Placer tous les ingrédients dans un grand chaudron et cuire de 20 à 30 minutes, jusqu'à ce que les concombres soient transparents. Empoter chaud et sceller. (3-4 litres)

***

Cornichons à l'aneth (consommation rapide)

1 kilo de gros cornichons
2 c. à soupe de gros sel
2 tasses d'eau
1/2 tasse de vinaigre
2 gousses d'ail tranchées en deux
1 feuille de laurier
2 piments forts séchés
4 grains de poivre
2 branches d'aneth

Nettoyer puis assécher les cornichons puis les couper en biseau en tranches pas trop minces; les placer dans une passoire, couvrir de sel et laisser dégorger 1 heure. Placer ensuite dans un chaudron l'eau, le vinaigre, l'ail, le laurier, les piments et le poivre. Porter à ébullition, mijoter 2-3 minutes puis laisser refroidir. Rincer et égoutter à fond les cornichons. Placer l'aneth dans les pots puis les cornichons et couvrir du vinaigre en répartissant les condiments. Sceller les pots. Prêt à consommer le lendemain. Conserver les pots au froid. (2 litres)

***

Cornichons à l'aneth

4 litres de cornichons de 8-12 cm de longueur
8 belles branches d'aneth frais
5 tasses de vinaigre
3 tasses d'eau
6 c. à soupe de gros sel
Par pot d'1 litre: 1-2 gousses d'ail, 1 feuille de laurier, 3-4 grains de
poivre noir, 1 petit piment fort séché (si désiré)

Laver les cornichons en les brossant, les essuyer puis les laisser tremper toute la nuit en eau froide. Les égoutter à fond. Placer 2 branches d'aneth dans chaque pot, placer les cornichons sans les tasser. Mélanger le vinaigre, l'eau et le sel, amener à ébullition puis verser sur les cornichons. Ajouter dans chaque pot les autres ingrédients. Sceller aussitôt les pots. Attendre au moins 6 semaines avant de commencer à consommer. (4 litres)

***

Courgettes marinées (consommation rapide)

1 kilo de courgettes
2 petits oignons
1 petit poivron rouge doux
1/4 de tasse de gros sel
1 1/2 tasse de vinaigre
3/4 de tasse de sucre
1 c. à soupe de graines de moutarde
1/4 de c. à thé de curcuma
1/4 de c. à thé de graines de céleri

Trancher finement les courgettes et les oignons. Couper ensuite le poivron en fines lanières. Placer les légumes dans un grand plat en les saupoudrant de gros sel à mesure. Couvrir de cubes de glace et laisser reposer 3-4 heures. Au bout de ce temps, égoutter les légumes puis les rincer à grande eau et égoutter à nouveau. Dans un grand chaudron, mélanger le vinaigre, le sucre, les graines de moutarde, le curcuma et les graines de céleri et amener à ébullition. Ajouter les légumes et amener de nouveau à ébullition. Mijoter durant 3 minutes (les courgettes doivent rester croquantes). Placer les légumes dans les pots, les couvrir du vinaigre et des condiments et sceller les pots. (Conservée au froid, cette marinade peut se garder de 2 à 3 mois. (2 litres)

***

Feuilles de vigne marinées

4 tasses d'eau
2 c. à thé de sel
Feuilles de vigne entières
1 tasse de jus de citron

A mener l'eau à ébullition, y dissoudre le sel puis blanchir les feuilles de vigne durant 30 secondes. Égoutter puis rouler les feuilles sans les serrer. Ajouter le jus de citron au liquide, ramener à ébullition puis couvrir les feuilles placées dans les pots (petits, de préférence). Sceller les pots et les stériliser durant 45 minutes (15 minutes sous pression).

***

Haricots jaunes marinés

4 tasses de haricots jaunes coupés en morceaux de 2 1/2 cm
Sel
1 tasse de vinaigre
1/2 tasse de cassonade
2 c. à soupe de moutarde sèche ou préparée
2 c. à soupe de farine
1/2 c. à thé de graines de céleri

P réparer les haricots puis les blanchir 3-4 minutes en eau salée. Égoutter et remettre à cuire avec le vinaigre et la cassonade. Délayer la farine et la moutarde dans un peu d'eau puis ajouter cette pâte aux haricots avec les graines de céleri. Cuire le tout 10 minutes jusqu'à ce que les haricots soient tendres tout en restant croquants. Empoter et sceller aussitôt.

***

Haricots verts marinés

5 tasses de haricots verts coupés en morceaux de 2 1/2 cm
1 tasse de vinaigre
1/2 tasse de cassonade
2 c. à soupe de farine
2 c. à soupe de moutarde sèche
1/8 de c. à thé de graines de céleri

Couper les haricots puis les cuire en eau salée 2-3 minutes et les égoutter. Amener le vinaigre à ébullition, y dissoudre la cassonade. Délayer la farine et la moutarde dans un peu d'eau, incorporer au vinaigre avec les graines de céleri puis cuire les haricots dans ce mélange de 8 à 10 minutes. Les haricots doivent être tendres tout en restant croquants. Remplir les pots et sceller aussitôt. (1 1/2 litre environ)

***

Marinade aux légumes

12 grosses tomates bien mûres
4 pommes sures épépinées
3 oignons
1 pied de céleri
1 chou-fleur moyen
2 c. à soupe de gros sel
2 tasses de vinaigre
1 tasse de sucre
1 c. à soupe d'épices à marinade (dans un nouet)

Hacher finement les légumes. Les jeter dans un chaudron avec le reste des ingrédients. Mijoter le tout durant 2-3 heures, en brassant souvent, surtout vers la fin de la cuisson. Empoter chaud et sceller.

***

Marinade aux topinambours

1 kilo de topinambours pelés et finement tranchés
3 tasses d'oignons finement tranchés
2 tasses de poivron vert haché
6 tasses d'eau
1/2 tasse de sel
6 gousses d'ail coupées en deux
1 1/3 tasse de sucre
1/3 de tasse de farine
2 c. à soupe de moutarde sèche
2 c. à thé de graines de moutarde
1 1/4 c. à thé de graines de céleri
1 c. à thé de curcuma
1/3 de tasse de vinaigre de cidre
1 c. à thé de sauce Tabasco
2 tasses de vinaigre de cidre

Mélanger les légumes, l'eau, le sel et l'ail et laisser reposer toute la nuit. Le lendemain, mêler dans un bol le sucre, la farine, les épices, 1/3 de tasse de vinaigre et la sauce Tabasco. Amener à ébullition 2 tasses de vinaigre de cidre, y dissoudre le mélange épicé et cuire le tout durant 5 minutes. Égoutter à fond les légumes, les jeter dans le vinaigre et cuire le tout 5 minutes en brassant constamment. Empoter chaud et sceller. (2 1/2 litres environ)

***

Marinade crue

2 choux verts moyens
4 poivrons verts
4 poivrons rouges doux
12 oignons moyens
8 carottes moyennes
1/2 tasse de sel
6 tasses de vinaigre
1 c. à thé de graines de moutarde
1 c. à thé de graines de céleri

Parer et hacher finement les légumes. Les couvrir de sel et laisser reposer 2 heures. Les égoutter à fond puis mêler avec le reste des ingrédients. Empoter et sceller.

***

Marinade crue de carottes et de céleri

4 tasses de carottes coupées en bâtonnets
4 tasses de branches de céleri coupées en bâtonnets
2 tasses de vinaigre de cidre
4 tasses d'eau
1 tasse de sucre
1/2 tasse d'aneth frais haché
2 c. à soupe de graines de moutarde
1 c. à soupe de sel
1 pincée de poivre de cayenne

Parer et tailler les légumes en les jetant à mesure en eau froide. Les égoutter puis placer dans les bocaux. Mélanger les autres ingrédients dans un chaudron, amener à ébullition et couvrir les légumes de ce vinaigre. Sceller les pots et attendre au moins 1 semaine avant de commencer à consommer. Excellent comme hors-d'oeuvre ou avec une salade de fruits de mer ou de poulet. (12 tasses)

***

Marinade d'automne

2 tasses de chou vert haché
2 tasses de poivron vert haché
1 tasse de poivron rouge doux haché
4 tasses de concombre haché
2 tasses d'oignon haché
4 tasses de tomate rouge hachée
1/2 tasse de gros sel
4 tasses de sucre
2 c. à thé de moutarde sèche
1/4 de c. à thé de curcuma
1 c. à thé de paprika
6 tasses de vinaigre

Hacher très grossièrement les légumes (sauf le chou) en laissant un peu de vert sur les concombres. Empiler dans un grand plat en saupoudrant de gros sel à mesure. Couvrir le plat et laisser reposer toute la nuit. Le lendemain, égoutter à fond puis cuire avec le reste des ingrédients durant 1 heure. Brasser souvent le mélange, surtout vers la fin de la cuisson. Empoter chaud et sceller. (10 tasses)

***

Marinade de canneberges (crue)

2 oranges
1 citron
2 pommes
4 tasses de canneberges
2 1/2 tasses de sucre

Couper sans les peler les oranges, le citron et les pommes en quartiers. Les passer au hachoir avec les canneberges. Ajouter le sucre aux fruits, bien mélanger et mettre en pots. Conserver cette marinade au froid. Marinade excellente avec diverses volailles.

***

Marinade de chou rouge

1 chou rouge
3 c. à soupe de sel (par 500 g de chou haché)
2 1/2 tasses de vinaigre
1 c. à soupe de cassonade
1 c. à thé d'épices à marinade (dans un nouet)

Hacher finement le chou puis le placer dans un grand plat en le saupoudrant de sel à mesure. Laisser reposer toute la nuit puis rincer et égoutter le chou. Mettre le vinaigre dans le chaudron, y dissoudre la cassonade puis y cuire le nouet d'épices durant 5 minutes. Laisser refroidir 2 heures au moins. Remplir les pots de chou sans le presser et couvrir de vinaigre. Sceller les pots et les garder au frais. Prêt à être consommé au bout d'une semaine, le chou restera croquant durant 3 mois.

***

Marinade de choux-fleurs et de tomates

2 choux-fleurs coupés en morceaux d'une bouchée
700 g de tomates coupées en quartiers
4 oignons grossièrement hachés
200 g de sel
1 c. à thé de moutarde sèche
1 c. à thé de gingembre moulu
1 c. à thé de poivre noir
250 g de cassonade
1/2 c. à thé de poivre de cayenne (si désiré)
3 tasses de vinaigre blanc

Placer les légumes préparés dans un grand plat et couvrir de sel à mesure. Couvrir le plat et laisser reposer toute la nuit. Le lendemain, rincer à fond les légumes, les égoutter puis les placer dans le chaudron. Ajouter la moutarde, le gingembre, le poivre, la cassonade, le poivre de cayenne et le vinaigre. Mijoter durant 15-20 minutes, jusqu'à ce que les légumes soient tendres tout en restant croquants.

***

Marinade de concombres, oignons et choux-fleurs

6 tasses de petits concombres
6 tasses de petits oignons blancs
1 chou-fleur coupé en morceaux d'une bouchée
4 poivrons verts coupés en lanières
1 poivron rouge doux coupé en lanières
1/2 tasse de sel
4 tasses de vinaigre
4 tasses de sucre
1 1/2 c. à thé de curcuma
1 1/2 c. à thé de graines de céleri
2 c. à thé de graines de moutarde

P lacer les légumes dans un grand plat puis les couvrir d'eau froide et du sel. Laisser reposer 3 heures puis égoutter. Amener le vinaigre à ébullition, y dissoudre le sucre puis cuire 2-3 minutes avec les condiments. Jeter les légumes dans le vinaigre puis cuire 2 minutes de plus. Empoter chaud et sceller.

***

Marinade de courgettes I

1 kilo de courgettes finement tranchées
2 tasses d'oignon finement tranché
6 tasses d'eau glacée
1/4 de tasse de gros sel
2 tasses de vinaigre
1 tasse de sucre
1 c. à thé de graines de céleri
1 c. à thé de graines de moutarde
1 c. à thé de curcuma
1/2 c. à thé de moutarde sèche

Mélanger les légumes et les couvrir de la saumure faite d'eau et de sel. Laisser reposer 3 heures puis égoutter à fond. Amener le vinaigre à ébullition, y dissoudre le sucre puis ajouter les épices. Jeter les légumes dans le vinaigre, bien mêler et laisser reposer 1 heure puis cuire 5 minutes environ. Empoter chaud et sceller. (3 litres environ)

***

Marinade de courgettes II

1 grosse courgette
750 g d'oignon haché
2 c. à soupe de sel
8 tasses de vinaigres de malt
350 g de cassonade
2 c. à soupe de gingembre moulu
2 c. à soupe de curcuma
1 c. à soupe de clous de girofle entiers
12 grains de poivre noir
4 poivrons verts

Peler la courgette, en retirer les graines puis la couper en dés. La placer dans un grand plat avec l'oignon en saupoudrant de sel à mesure. Couvrir d'un linge et laisser reposer toute la nuit. Le lendemain, rincer et égoutter les légumes à fond. Verser le vinaigre dans le chaudron et ajouter la cassonade, le gingembre, le curcuma, le clou de girofle et le poivre. Amener à ébullition et mijoter 30 minutes. Parer et couper les poivrons en lanières puis les ajouter au vinaigre avec les légumes. Cuire à feu doux 1 1/2 heure ou jusqu'à ce que le mélange épaississe. Empoter chaud et sceller.

***

Marinade de poivrons, oignons et champignons

1 kilo de poivrons rouges doux
1 kilo de poivrons verts
250 g d'oignons
500 g de petits champignons
3 c. à soupe de gros sel
8 gousses d'ail (par pot d'1 litre)
1 branche de romarin frais (par pot)
2 feuilles de laurier (par pot)
1 c. à soupe de grains de poivre noir (par pot)
1 litre de vinaigre de vin
150 g de sucre

P arer les poivrons puis les couper en lanières assez larges. Trancher les oignons en rondelles épaisses. Laver les champignons puis les essuyer. Amener 2 litres d'eau à ébullition, y dissoudre 1 c. à soupe de gros sel et cuire les poivrons puis les champignons durant 2 minutes. Égoutter les légumes dans une passoire et les placer ensuite dans les bocaux avec les autres ingrédients et les épices. Amener le vinaigre à ébullition, y dissoudre 2 c. à soupe de gros sel et le sucre et couvrir les légumes de ce mélange bouillant. Placer les couvercles mais sans sceller les pots. Le lendemain, filtrer le vinaigre, le faire bouillir de nouveau et le remettre dans les bocaux. Sceller alors les pots. Laisser vieillir la marinade au moins 5 semaines avant de commencer à la consommer. (3-4 litres)

***

Marinade de tomates mûres

36 tomates bien mûres
2 pieds de céleri finement haché
1 gros oignon finement haché
2 poivrons verts finement hachés
1 c. à thé de sel
7 tasses de vinaigre
3 c. à soupe de cassonade

Mêler tous les ingrédients et cuire 2 heures environ en brassant souvent le mélange, surtout vers la fin de la cuisson. Empoter et sceller.

***

Marinade de tomates vertes

1 kilo de tomates vertes finement tranchées
1 kilo d'oignons émincés
1 kilo de chou vert finement haché
1 poivron vert haché
Gros sel
Vinaigre
Un nouet contenant: 4-5 clous de girofle, 7-8 grains de poivre noir et 1 morceau de cannelle

Placer les légumes en rangs dans un grand plat en les saupoudrant de gros sel à mesure. Laisser reposer toute la nuit. Le jour suivant, jeter l'eau dégorgée, rincer les légumes et les égoutter à fond. Les couvrir de vinaigre et les cuire avec le nouet d'épices durant 3 heures à feu doux. Brasser souvent le mélange, surtout vers la fin de la cuisson. Empoter chaud et sceller.

***

Marinade pour fèves, pois chiches, etc.
(3 versions)

(Pour salades de pois chiches, lentilles, fèves rouges, fèves de Lima, gourganes, etc.).

1. À l'aneth :
1 tasse d'huile d'olive
3 c. à soupe de jus de citron
1/2 c. à thé de sel
1/2 c. à thé de poivre
1/2 tasse d'aneth frais haché

2. À la moutarde : *1 tasse de vinaigre de vin blanc*
2 c. à thé de sucre
1/2 c. à thé de sel
1/4 de tasse d'huile d'olive
1/2 tasse d'oignon finement haché
2 c. à soupe de persil haché
1 c. à soupe d'estragon haché
1/4 de c. à thé de poivre blanc
1 c. à thé de moutarde sèche
2 c. à thé de câpres hachées

3. Piquante :
1 tasse d'huile d'olive
1/4 de tasse de vinaigre de vin rouge
2 gousses d'ail finement hachées
2 c. à soupe d'oignon finement haché
2 c. à soupe de basilic frais finement haché
2 filets d'anchois réduits en pâte
1 c. à thé d'origan séché
1 c. à thé de poivre noir
2 c. à thé de persil haché

C uire les légumes secs comme d'habitude (en comptant 500 g de produit) puis les couvrir de marinade et bien mêler. Laisser macérer au froid au moins 24 heures avant de commencer à consommer. Ces salades froides, auxquelles on peut rajouter des condiments de son choix (olives vertes et noires tranchées, poivrons grossièrement hachés, céleri, etc.) sont encore meilleures au bout de quelques jours. Pour de meilleurs résultats, mêler les salades à plusieurs reprises.

***

Navets marinés à l'arabe

6-8 petits navets blancs
1 betterave moyenne crue et pelée
2 tasses d'eau
1 tasse de vinaigre de vin rouge
2-3 gousses d'ail entières
2 c. à thé de sel
2 petits piments rouges forts

Peler et couper les navets en bâtonnets. Les placer dans un bol, les couvrir d'eau froide et laisser reposer toute la nuit. Le lendemain, les rincer à l'eau froide courante. Trancher finement la betterave, placer la moitié des tranches au fond d'un pot, placer les navets dessus mettre le reste des tranches de betterave. Mêler ensuite les autres ingrédients et en couvrir les légumes. Laisser reposer au moins une semaine en brassant le bocal de temps à autre de manière à répartir le jus libéré par la betterave. Conserver au froid. Marinade excellente avec les plats épicés, le couscous, etc.. (2 tasses)

***

Petites betteraves marinées

40-50 petites betteraves de 2 à 4 cm de diamètre
4 tasses de vinaigre
1 1/2 tasse d'eau
1 tasse de sucre
1 1/2 c. à thé de sel
3 c. à soupe d'épices à marinade (dans un nouet)

Cuire les betteraves en gardant au moins 5 cm de tiges et les racines. Quand elles sont tendres, les plonger dans l'eau froide puis les égoutter et les peler. Les placer dans les pots. Faire bouillir le vinaigre, l'eau, le sucre, le sel et les épices durant 5 minutes. Retirer le nouet d'épices du vinaigre et couvrir les betteraves de celui-ci. Sceller les pots. (2 litres)

***

Petits cornichons marinés (méthode longue)

4 litres de cornichons de 5 cm de longueur
5 litres d'eau bouillante
3 tasses de gros sel
1 c. à thé d'alun
5 litres d'eau bouillante
8 tasses de vinaigre
6 tasses de sucre
1/4 de tasse de graines de moutarde
1/2 tasse d'épices à la marinade

Laver, brosser, essuyer les cornichons puis les placer dans un pot de grès. Les couvrir d'une saumure préparée avec l'eau bouillante et le sel. Couvrir le pot, le placer au froid et laisser reposer 3 jours. Au bout de ce temps, égoutter les concombres, amener la saumure à ébullition, verser sur les cornichons et laisser reposer 3 jours. Répéter cette opération une troisième fois. Mêler alors l'alun à 5 litres d'eau bouillante et verser le mélange sur les cornichons. Laisser reposer 6 heures, égoutter et rincer à grande eau. Égoutter de nouveau les cornichons puis les placer dans les pots. Mélanger le vinaigre, le sucre et les épices et bouillir 5 minutes. Verser le vinaigre sur les cornichons en répartissant bien les épices. Sceller aussitôt les pots. (5 litres)

***

Petits oignons blancs aigres-doux

1 1/2 kilo de petits oignons blancs
3 tasses d'eau
3 tasses de vinaigre
6 c. à soupe d'huile d'olive
100 g de sucre
2 c. à soupe de purée de tomates
100 g de raisins verts sans pépins
2 clous de girofle
Sel et poivre au goût

Blanchir les oignons 2-3 minutes puis les jeter en eau froide. Les égoutter puis les peler. Amener l'eau et le vinaigre à ébullition puis ajouter le reste des ingrédients dans l'ordre. Quand ça bout de nouveau, jeter les oignons dans le mélange et cuire le tout à feu doux 1 heure environ. Empoter chaud et sceller.

***

Petits oignons blancs marinés

8 tasses de petits oignons blancs
8 tasses d'eau bouillante
3/4 de tasse de gros sel
4 tasses de vinaigre blanc
1 tasse de sucre blanc
1 écorce de cannelle (ou 2 c. à soupe d'épices à marinade dans un nouet)

Blanchir les oignons 2-3 minutes en eau bouillante puis les jeter aussitôt en eau froide. Les peler puis préparer une saumure avec l'eau bouillante et le sel; en couvrir les oignons puis les laisser reposer toute la nuit. Les égoutter, rincer et égoutter de nouveau. Amener le vinaigre à ébullition, y dissoudre le sucre et ajouter la cannelle ou les épices. Mijoter 5 minutes, retirer la cannelle, ajouter les oignons. Amener à ébullition puis placer les oignons dans les pots et couvrir du vinaigre bouillant. Sceller aussitôt. (2 litres)

***

Piccalilli grand-mère

4 litres de tomates vertes
1/2 tasse de gros sel
4 gros oignons grossièrement hachés
3 poivrons verts grossièrement hachés
1 poivron rouge finement haché
4 tasses de vinaigre
2 c. à thé d'épices à marinade (dans un nouet)
2 tasses de sucre
1/2 c. à thé de clou rond
1/2 c. à thé de cannelle moulue
1/2 c. à thé de curcuma
1 c. à thé de graines de moutarde
1 c. à thé de graines de céleri

Couper les tomates en morceaux, les couvrir de sel et laisser tremper 4-5 heures. Jeter ensuite l'eau dégorgée puis cuire les tomates à feu doux avec les autres ingrédients pendant 2-3 heures en brassant fréquemment le tout, surtout vers la fin de la cuisson. Empoter chaud et sceller. (3 litres)

***

Piccalilli

3 kilos de légumes préparés (concombre, chou fleur, petits oignons blancs, tomates, etc.)
500 g de gros sel
4 tasses de vinaigre
1 c. à soupe de curcuma
1 c. à soupe de moutarde sèche
1 c. à soupe de gingembre moulu
2 grosses gousses d'ail broyées
200 g de sucre
3 c. à soupe combles de farine

P arer les légumes et les couper en morceaux d'une bouchée. Les placer dans un grand plat en les saupoudrant de gros sel à mesure. Les laisser reposer toute la nuit puis les rincer et les égoutter à fond. Verser le vinaigre dans le chaudron et ajouter les épices, l'ail et le sucre. Amener à ébullition puis cuire les légumes dans le vinaigre jusqu'à ce qu'ils soient tendres tout en restant croquants. Dissoudre la farine dans un peu de vinaigre chaud et l'incorporer au mélange. Cuire 2-3 minutes de plus. Empoter chaud et sceller.

***

Plantes sauvages marinées

O utre divers champignons (coprins chevelus, pleurotes, etc.) et les têtes-de-violon et l'ail des bois (voir recettes), diverses plantes sauvages peuvent être marinées. Ce sont, parmi les plus célèbres, la salicorne (rivages salés du Saint-Laurent), la médéole de Virginie, le dentaire à deux feuilles et le pourpier gras (voir recette). Voir aussi **Boutons de pissenlit confits** et **Boutons d'hémérocalle marinés**. Pour la description de ces plantes, consulter la **Flore laurentienne** de Marie-Victorin, Presses de l'Université de Montréal, 1964.

***

Pleurotes marinés

500 g de pleurotes
1 tasse de vinaigre
1/2 tasse d'eau
2 clous de girofle
1/2 poivron rouge doux haché
1 petite branche d'estragon
1 feuille de laurier
3-4 grains de poivre
Huile d'olive

Trancher les champignons en fines lamelles. Amener à ébullition le vinaigre et l'eau, y jeter les champignons et ajouter le clou de girofle et le poivron. Cuire 15 minutes à feu doux puis placer les champignons dans les pots (petits de préférence). Ramener le vinaigre à ébullition puis en couvrir les champignons auxquels on a ajouté l'estragon, le laurier et le poivre. Terminer avec un peu d'huile d'olive. Sceller les pots et les garder au frais.

***

Poivrons Diligence

1 chou vert moyen émincé
6 oignons émincés
9 poivrons rouges doux coupés en petits morceaux
9 poivrons verts coupés en petits morceaux
1/2 tasse de sel
3/4 de tasse de graines de moutarde
1 c. à soupe de graines de céleri
4 tasses de sucre
Vinaigre de cidre

Parer et couper les légumes puis les mêler avec le gros sel dans un grand plat. Laisser reposer toute la nuit. Le jour suivant, égoutter à fond les légumes, les placer dans le chaudron puis les mêler avec les graines de moutarde et de céleri et le sucre; couvrir ensuite le tout de vinaigre puis faire chauffer doucement le temps nécessaire à faire fondre le sucre. Brasser constamment et ne pas faire cuire. Empoter chaud et sceller. (6 litres environ) (Recette communiquée par Madame Margot Gascon.)

***

Poivrons marinés aux herbes

1 1/2 kilo de poivrons verts et rouges doux
3 c. à soupe de sel
3 tasses de vinaigre de vin rouge
2 feuilles de laurier
2 branches de thym frais
2 branches de persil frais
1 c. à thé de grains de poivre noir

Parer les poivrons et les couper en lanières de 1/2 cm de largeur. Les placer dans un grand plat et couvrir à mesure de sel. Les laisser reposer 12 heures puis les rincer et les égoutter à fond. Mettre le vinaigre dans le chaudron avec le laurier, le thym, le persil et le poivre; amener à ébullition et mijoter quelques minutes. Placer les poivrons dans les pots puis les couvrir du vinaigre filtré. Sceller aussitôt.

***

Pourpier gras mariné

10 tasses de tiges tendres de pourpier gras
3 tasses d'oignons finement hachés
3 tasses de cassonade bien tassée
1 tasse de vinaigre de cidre
2 c. à thé de sel
2 c. à soupe d'épices à marinade (dans un nouet)
2 gousses d'ail entières
2 c. à soupe cannelle concassée
1 c. à soupe de gingembre frais pelé et finement haché

Placer les épices et l'ail dans un nouet et les cuire avec les autres ingrédients jusqu'à ce que les tiges de pourpier soient tendres. Placer la marinade dans les pots et stériliser ceux-ci 1 heure (20 minutes sous pression). (6-7 tasses)

***

Rhubarbe marinée

2 litres de rhubarbe coupée en morceaux de 2 1/2 cm
2 oignons moyens
2 tasses de vinaigre
3 tasses de sucre
1 c. à thé de cannelle moulue
1 c. à thé de clou de girofle moulu
1 c. à thé de sel

Préparer la rhubarbe et hacher les oignons. Mêler tous les ingrédients et cuire 1 1/2 heure environ. Empoter chaud et sceller. (Ne jamais oublier que les feuilles de rhubarbe sont vénéneuses).

***

Salade d'hiver (marinade crue)

2 kilos de tomates mûres
7 gros oignons
2 pieds de céleri
1 poivron vert
3/4 de tasse de gros sel
2 tasses de sucre blanc
2 tasses de vinaigre
25 g de graines de moutarde

Blanchir les tomates, les jeter en eau froide puis les peler et couper en morceaux. Trancher les oignons, le céleri et le poivron. Mêler le tout dans un grand bol et couvrir de gros sel. Mettre dans un sac de mousseline et laisser égoutter de 8 à 12 heures. Le jour suivant, ajouter aux légumes les autres ingrédients, mêler délicatement le tout et mettre en pots. Cette marinade peut se conserver jusqu'à 3 mois au froid. (2-3 litres)

***

Tomates-cerises aigres-douces au basilic

3 kilos de petites tomates-cerises rouges et vertes
100 g de sel
1 kilo d'échalotes «françaises»
6 branches de basilic frais
5 tasses de vinaigre de vin
5 tasses de vin rouge
1.2 kilo de sucre

Choisir de petites tomates vertes ou mûres mais parfaites et les piquer en quelques endroits. Les saupoudrer de sel et laisser reposer au frais 24 heures. Les égoutter puis les rincer et égoutter de nouveau. Peler les échalotes, laver le basilic à grande eau et disposer herbe et légumes dans les pots. Amener le vinaigre et le vin à ébullition, y dissoudre le sucre puis couvrir les légumes de ce mélange. Sceller les pots. (6 litres)

***

Tomates vertes entières marinées

Petites tomates vertes
Clous de girofle
Vinaigre (3 parties pour 1 partie d'eau)
Sucre

Blanchir de petites tomates vertes durant 1 à 2 minutes. Les jeter en eau froide puis les égoutter. Piquer dans chacune 3 clous de girofle. Jeter les tomates dans du vinaigre légèrement sucré qui bout déjà. Cuire le tout durant 20 minutes. Placer les tomates dans les pots et les couvrir du vinaigre chaud. Sceller aussitôt les pots.

***

Sauces et catsups

Catsup à la rhubarbe

1 kilo de rhubarbe coupée en morceaux d'1 cm environ
3/4 de kilo de sucre
1 tasse de vinaigre
1 c. à thé de cannelle moulue
1/2 c. à thé de clou de girofle moulu

Mêler tous les ingrédients et cuire jusqu'à ce que la rhubarbe soit en compote ou plus longtemps pour une consistance plus épaisse. Brasser fréquemment le tout, surtout vers la fin de la cuisson. Empoter chaud et sceller.

***

Catsup aux champignons

10 tasses de champignons
Gros sel
1/2 c. à thé de macis
1/2 c. à thé de quatre-épices
1/4 de c. à thé de poivre rouge
6 clous de girofle entiers

Hacher ou trancher finement les champignons puis les placer dans un grand plat en les saupoudrant de gros sel à mesure. Couvrir et laisser reposer 24 heures au moins. Rincer les champignons puis les égoutter à fond. Ajouter les épices et mijoter le tout durant 4 heures. Brasser souvent, surtout vers la fin de la cuisson. Empoter chaud et sceller. Garder les pots au frais.

***

Catsup aux fruits I

6 tomates bien mûres
6 pêches bien mûres
6 poires bien mûres
6 pommes à cuire
6 gros oignons
6 poivrons verts et rouges doux
1/2 pied de céleri
5 tasses de sucre
2 tasses de vinaigre
2 c. à soupe de gros sel
1 c. à soupe d'épices à marinade (dans un nouet)

Parer et hacher les fruits et les légumes puis les cuire avec les autres ingrédients 30 minutes environ. Passer au mélangeur électrique si désiré. Empoter chaud et sceller.

***

Catsup aux fruits II

16 grosses tomates rouges
6 pêches bien mûres
6 poires bien mûres
6 pommes à cuire
6 gros oignons
2 gros poivrons rouges doux
6 branches de céleri
4 tasses de vinaigre
2 c. à soupe de sel
90 g d'épices à marinade (dans un nouet)

Blanchir les tomates et les pêches puis les jeter en eau froide. Les égoutter, peler puis hacher. Enlever le coeur des poires et des pommes et les hacher avec la peau. Hacher les oignons, les poivrons et le céleri. Mêler tous les ingrédients dans le chaudron et mijoter de 1 1/2 à 2 heures, jusqu'à ce que le mélange épaississe. Brasser fréquemment, surtout vers la fin de la cuisson. Retirer le nouet d'épices du catsup et l'empoter. Sceller aussitôt les pots. (4 litres environ)

***

Catsup aux poires

30 tomates bien mûres
6 poires hachées
6 pêches pelées et hachées
6 oignons finement hachés
1 poivron vert finement haché
900 g de sucre
2 tasses de vinaigre
2 c. à soupe de sel

C ouper les tomates en quartiers, leur ajouter les autres ingrédients. Mijoter le catsup 2 heures environ, en le brassant fréquemment, surtout vers la fin de la cuisson. Empoter chaud et sceller.

***

Catsup aux poivrons

12 oignons
12 poivrons verts
12 poivrons rouges doux
1-2 petits piments forts (facultatif)
6 pommes pelées
5 tasses de vinaigre
900 g de sucre
1 c. à soupe de sel

P arer et hacher les légumes et les pommes. Ajouter le vinaigre, le sucre et cuire le tout à feu doux 1 heure environ. Brasser fréquemment le mélange, surtout vers la fin de la cuisson. Passer au mélangeur si désiré. Pour rendre ce catsup plus piquant, rajouter de petits piments forts (secs ou frais) ou de la sauce Tabasco.

***

Catsup d'hiver

1 grosse boîte de tomates
3 gros oignons hachés
3 pommes hachées
2 branches de céleri haché
Un peu de pâte de tomate (pour épaissir)
2 tasses de sucre
1 tasse de vinaigre
2 c. à thé d'épices à marinade (dans un nouet)

Mélanger tous les ingrédients et cuire 2 heures environ en brassant fréquemment, surtout vers la fin de la cuisson. Empoter chaud et sceller.

***

Catsup aux tomates vertes

4 litres de tomates vertes
1/2 tasse de sel de table
4 gros oignons
3 poivrons verts
1 poivron rouge doux
2 c. à thé d'épices à marinade
1/2 c. à thé de clou rond
1/2 c. à thé de cannelle concassée
4 tasses de vinaigre
2 tasses de sucre

Couper les tomates en quartiers. Les saupoudrer de sel et laisser reposer pendant 4-5 heures. Jeter l'eau dégorgée. Mijoter les tomates et les autres ingrédients (les épices ayant été placées dans un nouet) durant 2 à 3 heures. Brasser fréquemment, surtout vers la fin de la cuisson. Empoter chaud et sceller.

***

Catsup rouge I

12 belles tomates mûres
2 tasses de vinaigre
Nouet contenant: 1 morceau de cannelle
2 c. à thé de clous de girofle
2 c. à thé de graines de moutarde
2 petits piments forts séchés
1/2 c. à thé de poivre
1 c. à thé de sel
2 c. à soupe de sucre

Blanchir les tomates, les jeter en eau froide puis les peler. Les cuire ensuite jusqu'à ce qu'elles soient réduites de moitié (en brassant fréquemment). Ajouter le reste des ingrédients puis cuire de 20 à 30 minutes de plus ou jusqu'à la consistance désirée. Passer au mélangeur électrique si désiré. Empoter chaud et sceller.

***

Catsup rouge II

4 kilos de tomates mûres
1 tasse d'oignon haché
3/4 de tasse de poivron vert haché
1 tasse de sucre
3 c. à soupe de sel
1 1/2 tasse de vinaigre
2 écorces de cannelle
1/2 c.à thé de quatre-épices
1 1/2 c. à thé de graines de moutarde
1 c. à thé de graines de céleri

Parer les tomates et les couper en morceaux. Ajouter les oignons et le poivron haché et cuire 20 minutes. Ajouter le sel, le sucre, le vinaigre et les épices placées dans un nouet. Cuire 1 heure environ en brassant fréquemment, surtout vers la fin de la cuisson. Passer au mélangeur électrique et recuire le catsup s'il est trop liquide. Empoter chaud et sceller.

***

Catsup rouge III

24 belles tomates mûres
8 pommes hachées
6 oignons hachés
1 pied de céleri haché
4 tasses de sucre
6 tasses de vinaigre
2 c. à thé de cannelle moulue
4 c. à thé de sel
1 c. à soupe d'épices à marinade (dans un nouet)

C ouper les tomates en quartiers puis les cuire avec les autres ingrédients 3 heures environ. Brasser fréquemment le mélange, surtout vers la fin de la cuisson. Passer au mélangeur électrique si désiré. Empoter chaud et sceller. (5 1/2 litres)

***

Catsup vert I

3,5 kilos de tomates vertes
6 gros oignons
3/4 de tasse de gros sel
1 c. à soupe de graines de moutarde
1 c. à thé de quatre-épices
1 c. à soupe de clous de girofle
1 c. à soupe de grains de poivre
1/2 citron
2 poivrons rouges doux
2 1/2 tasses de cassonade
4 tasses de vinaigre
1 c. à soupe de graines de céleri
1 c. à soupe de moutarde sèche

Trancher finement les tomates et les oignons et les déposer dans un grand plat en les saupoudrant de gros sel à mesure. Le lendemain, rincer les légumes à fond puis les égoutter. Mettre les épices dans un nouet. Trancher ensuite le demi-citron et les poivrons le plus finement possible. Ajouter le nouet d'épices et le sucre au vinaigre dans un grand chaudron, amener à ébullition puis ajouter tous les autres ingrédients. Cuire le tout durant 30 minutes en brassant de temps à autre. Retirer le nouet d'épices du mélange et verser celui-ci dans les pots. Sceller aussitôt.

***

Catsup vert II

3 petits paniers de tomates vertes
Gros sel
2 pieds de céleri
4 poivrons verts
6 poires
6 pêches mûres pelées
450 g de cassonade
5-6 tasses de vinaigre
2 c. à soupe de moutarde sèche
1 c. à thé de clous de girofle
2 c. à soupe d'épices à marinade (dans un nouet)

Trancher les tomates et les empiler dans un grand plat en les saupoudrant de gros sel à mesure. Couvrir le plat et laisser reposer toute la nuit. Le lendemain, jeter l'eau dégorgée, ajouter les légumes et les fruits hachés et les autres ingrédients aux tomates et cuire le tout à feu doux durant 3 heures. Empoter chaud et sceller.

***

Catsup vert III

5 litres de tomates finement tranchées
1 chou-fleur haché
1/2 pied de céleri haché
3 oignons finement tranchés
Gros sel
2 poivrons verts hachés
2 poivrons rouges doux hachés
2 c. à soupe d'épices à marinade (dans un nouet)
Vinaigre pour couvrir
2 1/2 tasses de cassonade

Placer les tomates, le chou-fleur, le céleri et les oignons préparés dans un grand plat en les saupoudrant de gros sel à mesure. Couvrir le plat et laisser reposer toute la nuit. Le lendemain, égoutter les légumes puis les mettre dans un grand chaudron avec les poivrons hachés et le nouet d'épices. Couvrir de vinaigre. Ajouter la cassonade et cuire le tout 2 heures environ en brassant souvent le catsup, surtout vers la fin de la cuisson. Empoter chaud et sceller.

***

Sauce aux piments chinoise

12 poivrons rouges forts
2 citrons (jus)
2 c. à soupe de nuoc-mâm
2 c. à thé de sucre
1 gousse d'ail broyé

Parer les piments puis les passer au mélangeur (attention à ne pas vous frotter les yeux!). Placer la pâte obtenue dans un petit plat et ajouter les autres ingrédients. Bien nettoyer le mélangeur... et vos mains! Conserver au froid. Cette sauce sert d'assaisonnement à divers plats chinois.

***

Sauce chili douce

3,5 kilos de tomates mûres
2 1/2 tasses d'oignon haché
2 1/2 tasses de poivron rouge doux haché
1 1/2 tasse de sucre
2 c. à soupe de sel
4 tasses de vinaigre
1 c. à soupe de clous de girofle
3 c. à soupe de quatre-épices
1 c. à soupe de graines de céleri

Blanchir les tomates puis les jeter en eau froide. Les égoutter, peler puis couper en morceaux. Ajouter les autres ingrédients (les épices mises dans un nouet). Cuire de 2 à 2 1/2 heures en brassant fréquemment la sauce, surtout vers la fin de la cuisson. Retirer le nouet d'épices du mélange et verser celui-ci dans les pots. Sceller aussitôt. (2 1/4 litres environ)

***

Sauce chili piquante

12 grosses tomates mûres
4 poivrons verts
8 petits piments forts (frais de préférence)
3 gros oignons
2 tasses de vinaigre
2 c. à soupe de sel
1/2 c. à thé de clou de girofle moulu
1 c. à thé de quatre-épices moulu
1 c. à thé de cannelle moulue
1 c. à thé de muscade
2 c. à thé de gingembre frais pelé et râpé
1 c. à thé de poivre noir moulu

Couper les tomates en gros quartiers. Les jeter dans le chaudron puis ajouter les poivrons et les oignons hachés et les autres ingrédients. Cuire à l'étouffée jusqu'à ce que les légumes soient tendres. Passer le tout au mélangeur électrique et remettre à mijoter à découvert. Brasser continuellement le mélange chaud quand il commence à épaissir. Empoter chaud et sceller. (3 1/2 litres)

***

Recettes diverses

Antipasto de poivrons rouges doux

3 gros poivrons rouges doux
2 gousses d'ail broyées
Sel (au goût)
Huile d'olive vierge pressée à froid
1 citron (jus)

P rocéder comme pour la **Conserve de poivrons rouges doux**. Au moment où ils sont coupés en lanières, les placer dans les pots (petits) mais au lieu de vinaigre, couvrir d'huile et parfumer avec le jus de citron et l'ail broyé. Assaisonner de sel au goût. Sceller les pots et les retourner à quelques reprises de manière à ce que les poivrons soient bien enrobés d'huile. Conserver au froid. (2 tasses)

***

Antipasto de luxe

Recette élaborée mais excellente. L'antipasto est le plat d'entrée des grands repas à l'italienne.

500 g de céleri coupé en morceaux de 2,5 cm
500 g de petits oignons blancs blanchis et pelés
500 g de carottes pelées et coupées en morceaux d'une bouchée
500 de chou-fleur coupé en petits bouquets
500 g de grosses fèves fraîches
500 g de fonds d'artichaut (frais de préférence)
5 tasses d'eau
5 tasses de vinaigre
10 tasses de tomates en purée
2 tasses d'huile d'olive
1 c. à soupe de grains de poivre noir
250 g de petits boutons de champignons frais
500 g d'olives vertes
1/2 tasse de câpres
2 tasses de petits cornichons marinés (non sucrés)
3/4 de tasse de piments rouges forts marinés
10 tasses de vinaigres de vin rouge
3 boîtes de thon entier
2 boîtes d'anchois

P réparer les légumes (6 premiers ingrédients) puis les jeter dans le mélange d'eau et de vinaigre qui bout déjà. Les cuire 10 minutes puis les égoutter et laisser reposer au frais dans un grand plat jusqu'au lendemain. Le jour suivant, mêler la purée de tomates, l'huile d'olive et le poivre et mijoter 10 minutes. Ajouter les légumes et les autres ingrédients (sauf le poisson) et cuire 10 minutes. Remplir les bocaux (à large ouverture de préférence) en y répartissant également le thon et les anchois et la sauce tomate. (Si l'on répugne à mettre en conserve le thon et les anchois, n'ajouter ceux-ci à l'antipasto qu'au moment de servir.) Chasser les bulles d'air des bocaux avec un couteau, sceller ceux-ci et les stériliser 2 heures (35 minutes sous pression). Attendre au moins 1 mois avant de consommer. (5 litres environ)

***

Base de sauce aux tomates

12 grosses tomates bien mûres (ou mieux, 30 tomates italiennes)
3 gros oignons grossièrement hachés
1 gros poivron vert finement haché
4 branches de céleri finement hachées
2 concombres moyens hachés
2 gousses d'ail broyées
1 branche de thym frais
1 branche d'origan frais
1 branche de basilic frais
2 feuilles de laurier
2 c. à soupe de gros sel
Poivre noir au goût
1 pincée de sucre
1 tasse de persil

Blanchir les tomates, les jeter en eau froide puis les peler et couper en quartiers. Hacher les oignons et le reste des légumes. Ajouter les épices et les condiments (sauf le persil qu'on ajoute en fin de cuisson). Cuire le tout 30 minutes. (À défaut d'herbes fraîches, employer 1 c. à thé de chacune des herbes mentionnées.) Mettre les tomates en pots, placer les couvercles et stériliser 2 heures (30 minutes sous pression). Cette sauce peut être employée telle quelle ou épaissie avec de la pâte de tomates dans les soupes, avec le riz, les pâtes italiennes (en ajoutant de la viande si désiré). (Recette créée par Madame Andrée Chapman)

***

Bases de soupe (pour congélation)

Au temps de la récolte ou lorsque les produits se vendent le moins cher, il peut être utile de préparer des bases de soupe avec des asperges, des carottes, du céleri, des épinards, des poireaux, etc.. Les légumes seront cuits (avec ou sans oignons, au goût) avec un peu de beurre puis passés au mélangeur. On répartira ensuite cette purée à raison d'une tasse par sac de plastique. Pour faire la soupe, il suffira d'ajouter 1 tasse de purée à 3-4 tasses de bouillon et de cuire 20 minutes. On ajoutera, selon le légume et la consistance voulue, des flocons de pommes de terre (ou un reste de purée), du lait, de la crème, du jaune d'oeuf battu (pour lier le potage) et des fines herbes au goût. Ne pas conserver ces bases de soupes plus de 12 mois.

***

Boutons de pissenlit confits

2 tasses de boutons de pissenlit
1 petite branche d'estragon
1 tasse de vinaigre
Quelques grains de poivre
2 clous de girofle
1/2 c. à thé de sucre

Cueillir les boutons encore petits au coeur de la rosette de feuilles dans un endroit qu'on sait exempt de tout produit chimique. Les mettre à tremper ensuite 30 minutes en eau vinaigrée puis les égoutter après les avoir rincés à l'eau courante dans une passoire. Amener le vinaigre à ébullition, y jeter les boutons de pissenlit et laisser cuire 2 minutes environ. Placer les boutons dans les pots (petits de préférence), ajouter l'estragon, le poivre, le clou de girofle et le sucre. Couvrir le tout de vinaigre et sceller aussitôt les pots. (1/2 litre)

Note: ces boutons de pissenlit peuvent remplacer les câpres dans n'importe quelle recette où celles-ci sont requises (sauce ravigote, etc.). On peut confire de la même manière les boutons de capucine, de souci cultivé ou de souci d'eau (populage).

***

Cerises marinées (parfumées)

1 1/2 kilo de cerises sucrées ou aigrelettes
2 tasses de vinaigre de cidre
2 tasses d'eau froide
2 c. à soupe de sel
2 c. à soupe de sucre
Épice au choix

Bien nettoyer et égoutter les cerises puis les placer dans les bocaux. Amener à ébullition le vinaigre, y dissoudre le sel et le sucre. Ajouter une épice douce au goût (badiane, cannelle, etc.) et mijoter le vinaigre durant 12-15 minutes. Verser le vinaigre sur les cerises et sceller aussitôt les pots. (2 litres)

***

Cerises marinées (piquantes)

1 kilo de cerises
1 branche d'estragon
24 grains de poivre
2 clous de girofle
3 tasses de vinaigre de vin
1 c. à thé de sel

Équeuter et laver les cerises puis les égoutter à fond. Les placer ensuite dans un grand plat avec l'estragon, le poivre et les clous de girofle. Amener le vinaigre à ébullition puis y dissoudre le sel et laisser refroidir. Couvrir ensuite les cerises et les épices de vinaigre et laisser reposer le tout jusqu'au lendemain. Passer le vinaigre et le faire cuire 5 minutes. Placer les cerises dans les pots, les couvrir du vinaigre et sceller aussitôt les pots. Marinade excellente avec le canard ou le gibier.

***

Choucroute

À l'aide d'une râpe spéciale ou d'un bon couteau à légumes, hacher finement des choux blancs d'hiver. Puis, au fond d'un grand pot de grès, disposer une bonne couche de sel marin puis une couche de 15-20 cm d'épaisseur de chou râpé. Jeter dessus des graines de carvi (ou des condiments comme: poivre en grains, thym, feuilles de laurier, baies de genièvre, clous de girofle entiers, muscade râpée, ail, coriandre, etc.) puis une bonne poignée de sel marin. Presser le chou au fond du pot puis remplir ainsi le pot jusqu'à 15-20 cm du bord. Couvrir le chou de saumure (faite à raison de 100 g de sel par litre d'eau), placer à la surface de la choucroute des feuilles de chou sur lesquelles on place un couvercle de bois et par-dessus celui-ci une grosse pierre lourde.

Une semaine plus tard, enlever la pierre, le couvercle et les feuilles de chou puis renouveler la saumure de surface et replacer comme avant. Répéter l'opération chaque semaine durant un mois. La choucroute sera prête à être consommée au bout d'un mois. On prend alors la quantité voulue, on la lave à grande eau, on l'égoutte et on la sert, crue ou cuite (celle-ci accompagne à merveille la saucisse et les lentilles au lard). Pour conserver longtemps la choucroute, changer la saumure à toutes les deux semaines. la choucroute doit être conservée dans un endroit très frais et à l'ombre. Le meilleur temps pour la préparer est le mois d'octobre (avant, il fait trop chaud et les risques de fermentation sont d'autant plus grands). Les navets, carottes et betteraves se prêtent à la même préparation et sont tout aussi savoureux en plus d'être une source de vitamines et de sels minéraux appréciables.

***

Confitures de baies d'églantier

250 g de purée de fruits
250 g de sucre
1/2 tasse de vin blanc

L aisser macérer 4 tasses de fruits (coupés en deux et vidés de leurs poils et graines) dans le vin pendant 6 à 8 jours, en brassant le mélange chaque jour. Réduire ensuite en purée au chinois. Cuire le sucre et le vin, incorporer la purée, amener à ébullition puis retirer aussitôt du feu. Brasser le mélange à plusieurs reprises jusqu'à ce qu'il soit froid puis le mettre dans les pots et sceller ceux-ci. Source excellente de vitamine C.

***

Confiture de bananes

3 citrons
3 tasses de sucre blanc
3 tasses d'eau
8 bananes bien mûres écrasées
1 morceau de gingembre frais (gros comme une olive)
6 clous de girofle

P resser le jus des citrons et trancher le plus finement possible les zestes. Faire un sirop avec le sucre et l'eau et cuire à feu doux 10 minutes. Ajouter le jus de citron et les zestes tranchés, les bananes, le gingembre et les clous de girofle. Mijoter le tout de 40 à 45 minutes en brassant fréquemment le mélange. Retirer le gingembre de la confiture avant de la verser dans les pots. Confiture excellente avec les muffins et les gaufres. (7 tasses)

***

Confiture de kiwis

14 kiwis
2 limes
3 1/2 tasses de sucre

P eler et hacher 10 kiwis et les placer dans un chaudron avec le jus de lime. Mijoter jusqu'à ce que la chair des fruits soit tendre. Retirer du feu puis incorporer le sucre. Mijoter de nouveau jusqu'à belle consistance. Peler et trancher les 4 autres kiwis puis les incorporer à la confiture. Empoter aussitôt et sceller. (4 tasses)

***

Confiture de tomates vertes

3 kilos de tomates vertes
2 1/4 kilos de sucre
1 citron très finement tranché
1 gousse de vanille (ou 2 c. à soupe de gingembre frais)

P arer les tomates puis les trancher finement. Les laisser reposer avec le sucre et la gousse de vanille fendue sur le long pendant 24 heures (le gingembre sera pelé et finement tranché). Mêler alors les tomates avec le citron et cuire le tout jusqu'à consistance de gelée en brassant continuellement le mélange vers la fin de la cuisson.

Note: comme le prix de la vanille est assez élevé, on peut la remplacer dans la recette par du sucre à la vanille fait tout simplement en gardant deux gousses de vanille dans du sucre.

***

Fruits marinés aux épices

2 tasses de vinaigre
Nouet contenant: 4-5 clous de girofle
            1 morceau de cannelle (pas trop gros)
            2 étoiles de badiane
5 tasses de sucre
1 1/2-2 kilos de fruits (poires, pêches, groseilles, gadelles, cerises)

Amener le vinaigre à ébullition, y dissoudre le sucre et cuire doucement durant 10 minutes avec le nouet d'épices. Ajouter les fruits préparés et coupés en gros quartiers et les cuire jusqu'à ce qu'ils soient tendres. Placer les fruits dans les pots, les couvrir de vinaigre et sceller aussitôt les pots.

***

Gelée de poivrons rouges

3 poivrons rouges doux finement hachés
1 oignon moyen finement haché
1 1/2 c. à thé de sel
4 1/2 tasses de sucre
1 1/4 tasse de vinaigre blanc
1/2 tasse de jus de citron frais
6 clous de girofle
1 c. à thé de piment fort broyé
1 bouteille de pectine (170 ml)

Hacher les légumes puis les mêler avec le sel et laisser égoutter dans une passoire durant 3 heures. Presser les légumes puis les mettre dans le chaudron avec le sucre, le vinaigre, le jus de citron, les clous de girofle et le piment. Mijoter le tout durant 10 minutes en brassant souvent le mélange puis ajouter la pectine et cuire 1 minute de plus. Verser dans des pots à gelée et sceller. Gelée excellente avec les fromages de type cheddar servis avec du pain français. (4 tasses)

***

Gelée de poivrons verts

2 tasses de poivrons verts hachés
5 1/2 tasses de sucre
1 tasse de vinaigre de cidre
1 tasse de jus de citron frais
1 bouteille de pectine (170 ml)

Parer et hacher finement les poivrons. Les amener à ébullition avec le vinaigre et le sucre en brassant constamment. Retirer le chaudron du feu et laisser reposer 15 minutes. Ramener à ébullition, ajouter le jus de citron et cuire 2 minutes à feu doux. Retirer le chaudron du feu, incorporer la pectine. Cuire 1 minute de plus et placer la gelée dans les pots. Ne pas consommer avant un mois.

***

Groseilles à maquereau épicées marinées

10 tasses de groseilles
4 1/2 tasses de cassonade
1 tasse de vinaigre
1/2 tasse d'eau
1 morceau de cannelle de 5 cm
8 clous de girofle
1/4 de c. à thé de muscade
2 grains de quatre-épices

Parer les groseilles en pinçant les deux extrémités. Mijoter la cassonade, le vinaigre, l'eau et les épices durant 5 minutes puis ajouter les groseilles et cuire le tout à feu doux durant 30-40 minutes de manière à ce que les fruits soient tendres et le sirop épais. Empoter le tout et sceller les pots. Marinade excellente avec le rôti de porc ou de boeuf. (7 tasses environ)

***

Haricots séchés

Blanchir les haricots durant 3 minutes puis les égoutter et assécher sur un linge. Les étaler sur une plaque à biscuits puis les sécher au four en faisant passer la température de celui-ci de 50° C (120° F) à 65° C (150° F). Les haricots sont prêts quand ils sont durs et croquants. Si le four n'est pas muni d'un ventilateur, en laisser la porte entrouverte. Les haricots sont gardés dans des sacs hermétiquement fermés à l'abri de la lumière. Vérifier au bout de quelques jours si les haricots ont bien été séchés. Avant de les utiliser, les faire tremper 12 heures en eau froide.

***

Mélanges d'épices à marinade

Bien qu'on trouve de bons mélanges d'épices à marinade sur le marché, on peut s'en composer soi-même en mêlant ensemble: graines de moutarde, de coriandre et de céleri, poivres noir et blanc en grains, clous de girofle entiers ou clous ronds, cannelle concassée, sarriette, feuilles de laurier brisées, graines de quatre-épices et petits piments forts secs. On peut, au goût, ajouter, en tenant compte du goût particulier de chacune, les épices suivantes: graines de cardamome, de badiane (ou anis étoilé), ou de cumin. Ces mélanges sont placés dans un nouet (en comptant 1 c. à soupe d'épices par litre de vinaigre) et cuits, soit préalablement dans le vinaigre (voir aussi **Vinaigres épicés**), soit avec la marinade. Le gingembre sera employé frais de préférence (pelé et râpé ou finement haché). La muscade, le curcuma (employé aussi pour colorer en jaune) et le macis seront employés moulus. Pour plus de fraîcheur, il est préférable de moudre soi-même ses épices au mortier avec un pilon. Les petites graines peuvent être moulues au moulin à poivre ou à café.

***

Mincemeat

2 tasses de graisse de rognon de boeuf haché
3 tasses de pommes dures hachées
1 tasse de gelée de raisins ou de pommes
4 tasses de jus de raisin ou de cidre
3 tasses de cassonade
900 g de raisins secs
450 g de raisins de Corinthe
100 g d'écorces de fruits confites hachées
2 oranges (jus et zeste râpé)
2 citrons (jus et zeste râpé)
1 c. à thé de sel
1 c. à thé de cannelle moulue
1/2 c, à thé de muscade
1/2 c. à thé de clou de girofle moulu
Rhum ou sherry

Bien mêler tous les ingrédients (sauf l'alcool), couvrir et laisser reposer 3 jours au frais. Remuer le mélange chaque jour et si au bout de 3 jours celui-ci est trop sec, ajouter de l'alcool à volonté. Remplir les pots (en en chassant bien les bulles d'air) et finir chaque pot avec 1-2 c. à soupe d'alcool. Sceller les pots et laisser reposer au frais au moins 1 mois avant d'utiliser dans les tartes.

***

Moutarde en pâte (version ancienne)

« **A**illeurs en font de fort plaisantes en cette matière: ayez deux onces de sénévé. Demi-once de cannelle: triturez-les subtilement et avec miel et vinaigre faites en paste, et d'icelles, petits pains que vous ferez sécher au soleil ou au four; quand vous voudrez user, dissoudez un pain au vinaigre ou verjus, ou autre liqueur.»

***

Moutarde maison (3 versions)

140 g de graines de moutarde
110 g de moutarde en poudre
1 tasse de bon vin blanc sec
6 c. à soupe d'huile d'olive
Miel ou sucre (au goût et facultatif)

É craser les graines de moutarde au mortier puis ajouter les autres ingrédients et passer au mélangeur. Cette moutarde peut être assaisonnée au raifort, à la ciboulette, à l'échalote, au persil, à l'estragon, à l'ail, au citron et au poivre vert.

3 tasses de farine
4 tasses de sucre
1 c. à thé de sel
1 c. à thé de poivre noir
1/2 tasse de vinaigre à l'estragon
1/2 tasse de moutarde en poudre
5 c. à soupe combles de moutarde préparée douce ou forte

M élanger tous les ingrédients et allonger d'un peu de vinaigre pour obtenir la consistance désirée.

Cette troisième version est celle de Louis Lagriffe, auteur de **Le livre des épices, condiments et aromates**, Marabout, 1968:

« M êlez ensemble: échalotes pilées, 30 g; poivre noir en poudre, 12 g; sel de cuisine, 120 g; poudre de moutarde, 500 g; 3 muscades pulvérisées; 8 g de poudre de piment; 60 g de raifort râpé; vinaigre aromatique, 250 g; bouillon en quantité suffisante pour donner de la consistance. Remuez le tout avec un fer rougi au feu.»

***

Pêches entières marinées

8 tasses de sucre
4 tasses de vinaigre de cidre
25 g de cannelle concassée
10 g de clous de girofle
1,5 kilo de pêches bien juteuses mais fermes

Amener le vinaigre à ébullition, y dissoudre le sucre puis cuire avec les épices placées dans un nouet de 10 à 12 minutes. Pendant ce temps, blanchir les pêches de 1 à 2 minutes, les jeter en eau froide, les égoutter puis les peler. Les placer ensuite dans le sirop et les cuire de 5 à 8 minutes. Retirer le chaudron du feu et laisser reposer de 10 à 12 heures. Retirer les pêches du sirop et les placer dans les bocaux. Retirer le nouet d'épices du sirop puis cuire celui-ci à feu vif pendant 5 minutes (en surveillant la cuisson de sorte que le sirop ne déborde pas). Couvrir les pêches du sirop bouillant puis sceller les pots. Attendre au moins deux mois avant de consommer.

***

Raifort mariné

2 racines de raifort
1/2 tasse de vinaigre
1/4 de c. à thé de sel
Sucre (au goût)

Laver les racines, les peler puis râper (ou couper en petits cubes et passer au mélangeur). Incorporer le vinaigre, le sel et le sucre. Garder au froid. (1 tasse environ)

***

Sirop de baies d'églantier

1 3/4 kilo de baies d'églantier
3 litres d'eau (puis 1 1/2 litre de plus)
1 kilo de sucre

Nettoyer et hacher les fruits. Amener 3 litres d'eau à ébullition puis y jeter les fruits. Ramener à ébullition, cuire quelques minutes puis écraser les fruits au chinois et verser la pulpe obtenue dans un sac à gelée. Laisser égoutter toute la nuit dans un grand contenant. Le jour suivant, remettre la pulpe dans le chaudron, ajouter 1 1/2 litre d'eau, cuire 8-10 minutes et remettre la pulpe dans le sac. Laisser égoutter toute la nuit. Le lendemain, verser le jus obtenu dans le chaudron, l'amener à ébullition et le cuire jusqu'à ce qu'il n'en reste plus qu'1 1/2 litre. Incorporer le sucre et cuire 5 minutes de plus, en brassant fréquemment le sirop. Surveiller la cuisson de sorte que le sirop ne déborde pas. Verser dans des bouteilles stérilisées. Une fois ouverte, une bouteille ne se conserve qu'une ou deux semaines, au froid bien sûr. Pour servir, allonger d'eau le sirop et servir très froid. Source excellente de vitamine C.

***

Vinaigre à l'ail et aux échalotes

15 échalotes
2-3 branches d'estragon
30 grains de poivre blanc
2,5 litres de vinaigre
4 feuilles de laurier
4 gousses d'ail

Hacher les échalotes puis les jeter dans le vinaigre avec l'estragon et le poivre. Amener à ébullition, cuire un peu puis ajouter le laurier et l'ail. Cuire à feu doux jusqu'à ce que le vinaigre ait réduit de moitié. Passer le vinaigre dans un plat. Retirer le laurier, le poivre et l'estragon de la passoire, écraser les autres ingrédients pour en exprimer le plus de jus possible. Incorporer ce jus au vinaigre et verser le tout dans des bouteilles stérilisés. Excellent dans les sauces vinaigrette.

***

Vinaigre aux graines de céleri

1 litre de vinaigre
120 g de graines de céleri

Macérer les graines de céleri dans le vinaigre durant 3-4 semaines puis passer le tout. Ce vinaigre peut servir dans les sauces vinaigrettes, les soupes, les ragoûts, etc..

***

Vinaigres épicés (3 versions)

Doux: 15 g de clous de girofle
15 g de quatre-épices
15 g d'écorce de cannelle concassée
15 g de gingembre frais pelé et haché
15 g de poivre blanc en grains

Aromatique: 15 g de graines de coriandre
15 g de quatre-épices
15 g de cardamome
15 g d'écorce de cannelle concassée
15 g de clous de girofle
6 feuilles de laurier

Piquant: 15 g de graines de moutarde
15 g de quatre-épices
15 g de clous de girofle
15 g de grains de poivre noir
1-2 petits piments fort secs

Pour chacun des mélanges, compter 15 tasses de vinaigre. Placer ensuite les épices dans un nouet et mijoter le tout durant 30 minutes. Laisser refroidir et embouteiller.

***

Origine des noms de légumes

Artichaut: probablement amélioré par la culture et connu seulement depuis le Moyen-Âge, l'artichaut doit son nom à l'arabe *al-karchouf*, devenu tour à tour *alcarchofa* en espagnol et *articiocco* en italien.

Asperge: originaire des lieux sablonneux d'Europe Centrale et méridionale, ce légume doit son nom au grec *asparagos* qui signifiait «sans semence» «parce que les plus belles asperges ne sont pas celles qui viennent de graines, et qu'on multiplie l'espèce comestible par division des rhizomes». (Marie-Victorin)

Aubergine: de culture très ancienne en Inde, son nom provient du sanscrit *vatin-gana*, devenu en arabe *albadinjan* puis *aubergine* (1798).

Betterave: originaire des côtes sablonneuses du Nord de l'Europe et cultivé d'abord en Germanie, son nom est composé du latin *beta* et du français *rave* lui-même issu du radical sanscrit *rap*, qui exprimait peut-être l'idée de renflement.

Carotte: d'origine eurasienne, elle doit son nom à un vieux mot sanscrit devenu en grec *karôton* et *carota* en latin.

Céleri: créé à partir du céleri sauvage (ou ache) par les jardiniers italiens du Moyen-Âge, son nom provient du piémontais *seleri* lui-même peut-être dérivé du grec *selinon*. Ce nom n'est apparu dans notre langue qu'en 1600.

Chou(x): le nom de *chou*, plante originaire des côtes de l'Atlantique-Nord, provient du celtique *kol* (breton), *cal* (irlandais) et *koal* (germanique danois); appelé *chol* en vieux français, son nom actuel ne s'est fixé qu'au 15e siècle. Le nom de *brocoli* provient de l'italien *broccoli* qui signifie «petites pousses». Le nom de *chou-fleur* provient aussi de l'italien *cauli-fiori*. Quant au nom de *chou de Bruxelles*, apparu en français seulement en 1820, rien ne prouve son origine belge.

Concombre (et **cornichon**): de culture très ancienne en Inde, il doit son nom au latin *cucumis* devenu tour à tour *cucumer* (latin médiéval), *cocombre* (vieux français) et *concombre* (14e siècle). Le *cornichon* doit son nom à sa forme de «petite corne»; il apparaît en français en 1549.

Crosnes du Japon: peu connu au Québec, il s'agit pourtant d'un légume très fin dont le nom correspond à son premier lieu de culture en France (1882). Malgré son nom, il ne provient pas du Japon mais de Chine.

Échalote: inconnue à l'état sauvage, son nom fut à tour en français *eschaloigne, échalette* puis *eschalote*.

Épinard: originaire d'Asie Occidentale, son nom provient de l'iranien *ispanaj* devenu en arabe *isfanach* puis *spinachium* en latin médiéval; en français le mot s'est tour à tour transformé en *espinach, espinar* pour ne se fixer sous sa forme actuelle qu'en 1331.

Haricot (et **fève**): malgré qu'il soit originaire de l'Amérique du Sud, ce légume doit son nom au grec *arakos*, devenu en italien *aroco* puis *aricot* en français. Le nom actuel s'est fixé en 1642. Quand au nom de *fève*, il provient du latin *faba*. Les fèves sont originaires d'Asie Centrale.

Laitue: probablement cultivée d'abord en Orient, elle doit son nom au latin *lactuca*, à cause du suc «laiteux» qu'elle contient. La *romaine* doit son nom au fait qu'elle est originaire d'Avignon où siégait alors la cour pontificale.

Maïs: originaire des Amériques (où il était cultivé du Pérou jusqu'en Gaspésie), il doit son nom à l'indien haïtien *mahis*. Il apparaît dans notre langue sous la forme *mahiz* en 1555. La plante n'est plus connue que sous sa forme cultivée.

Navet: du latin *napus*. Le mot s'est tour à tour transformé en français en *nap, nef, navel* et *naveau*.

Oignon: croissant à l'état sauvage de la Palestine à l'Inde, son nom provient du latin vulgaire *unio* (dans le sens d'oignon et non d'union). Devenu *onhon* en ancien provençal, son nom actuel est attesté dès le 13e siècle.

Panais: d'origine eurasienne, ce légume doit son nom au latin *pastinaca*, devenu tour à tour *pastenaga* en ancien provençal puis, en vieux français, *pastenade, pasnaie* et *pasnais*.

Piment (et **poivron**): originaire du Brésil mais cultivé depuis des millénaires du Chili jusqu'au Mexique, le piment doit son nom au latin *pigmentum* (signifiant d'abord «pigment» puis «aromate» ou «épice»). Le nom de piment est attesté depuis le 17e siècle. Le nom de poivron provient bien sûr du nom du poivre (issu du sanscrit *pipali*).

Poireau: originaire du bassin méditerranéen, il doit son nom au latin *porrum*. On l'écrivit d'abord *porreau* en français.

Pois: d'origine eurasienne, son nom provient du grec *pisos* devenu ensuite en latin *pisum*.

Pomme de terre: originaire des Andes, elle doit tout simplement son nom au fait que sa partie comestible pousse sous terre. La *patate douce* est aussi d'origine américaine et son nom provient de l'indien haïtien *batata*.

Radis: du latin *radice* («racine»), le mot apparaît en français en 1507.

Raifort: le nom de ce condiment provient des mots *raiz fors* qui signifient «racine âcre».

Rutabaga: originaire du Nord de l'Europe, il doit son nom au suédois dialectal *rotabagge*.

Salsifis: connu seulement depuis la Renaissance, son nom provient d'un mot italien d'origine inconnue *salsifica*. Il apparaît en français sous la forme de *sercifi* en 1600 (dans le premier traité d'agriculture français, **Le Théâtre d'Agriculture et mesnage des champs**, d'Olivier de Serres).

Tomate: originaire d'Amérique du Sud, elle doit son nom à l'aztèque *tomati*. La forme sauvage est grimpante et ne porte que des fruits minuscules.

Topinambour: originaire de l'ouest de l'Amérique du Nord, Champlain en parle dans ses écrits en 1603. Introduit en France vers cette époque, son nom provient de celui d'une tribu... brésilienne alors en voyage à Paris. Il s'agit donc d'une méprise.

Tableau I

Congélation des légumes

	Préparation	Temps de blanchiment (minutes)	Durée de conservation (mois)
Asperge	Bien laver puis couper la partie coriace. Couper en longueurs égales ou en morceaux. Placer ensuite la tête en bas dans les bocaux, sans les tasser.	2-4 (selon la taille)	12
Aubergines	Couper en tranches assez minces.	4	12
Betteraves (petites)	Les cuire avec 5 cm de tiges puis les égoutter et peler. Les feuilles se congèlent comme celles de l'épinard.	nil	6
Brocoli	Les faire tremper dans de l'eau froide salée puis les égoutter à fond et couper en morceaux d'une bouchée.	3	12
Carotte (petites)	La parer et laisser entière.	3-4	8
Champignons	Si les champignons cultivés peuvent être lavés, les champignons sauvages (morilles, chanterelles, etc.) doivent être seulement essuyés avec un papier humide. Les trancher ensuite et cuire avec des échalotes (françaises), du beurre, une branche de thym et du sel et poivre au goût. Laisser refroidir puis congeler tel quel.	nil	12

	Préparation	Temps de blanchiment (minutes)	Durée de conservation (mois)
Choux de Bruxelles	Parer les légumes.	3-5 (selon la taille)	12
Chou-fleur	Procéder comme pour le brocoli.		
Épinards (et tout autre légume-feuille)	Bien laver en plusieurs eaux pour les débarrasser de la terre qu'ils recèlent.	2-3	12
Fèves diverses (gourganes, etc.)	Écosser les gousses.	2-4	12
Haricots (vert et jaune)	Parer puis les laisser entier ou les couper en julienne (à la française, ou en morceaux de 2,5 cm).	3	12
Maïs (jeunes et très frais cueillis)	En grains: parer les épis puis les blanchir 4 minutes. Les jeter en eau froide, les égoutter et puis en couper les graines avec un bon couteau coupant. Congeler tel quel. Entier: parer les épis puis les blanchir de 7 à 11 minutes (selon la taille). Les jeter en eau froide, les égoutter puis les étaler sur une plaque à biscuit et les congeler. Les mettre ensuite dans les sacs.		8
Oignons (petits)	Les parer et congeler tels quels. Assurez-vous que les sacs soient bien scellés de manière à ce que les oignons ne communiquent pas leur odeur aux autres aliments.	nil	12
Poireaux	Les parer en les nettoyant à fond. Congeler à part les blancs (entiers) et les feuilles (finement tranchées).	Blancs: 3-4 Feuilles: 2	12 12

	Préparation	Temps de blanchiment (minutes)	Durée de conservation (mois)
Pois (petits et mange-tout)	Écosser les gousses. Les blanchir puis les jeter en eau froide et égoutter. Étaler sur une plaque à biscuits, congeler puis mettre dans les sacs.	1 1/2	12
Poivrons	Les parer et couper en lanières ou laisser entiers (comme, par exemple, pour faire des piments farcis). Congeler sans blanchir et couper les poivrons tandis qu'ils sont encore congelés.	nil	8
Salsifis	Les parer puis les peler (avec des gants ou dans de l'eau froide vinaigrée pour ne pas se tacher les mains). Couper en longueurs égales pour une meilleure présentation au moment de servir.	4-5	12
Tomates	Procéder comme pour la conserve de jus de tomate (voir recette) mais congeler le jus plutôt que de le mettre en pot. On peut aussi cuire les tomates blanchies et pelées avec sel, poivre et sucre 10 minutes environ ce qui donne une base excellente pour de nombreuses recettes.	nil	12

Tableau II

Guide de mise en conserve des légumes

	Blanchiment (en minutes)	Stérilisation Ordinaire (heures)	Autoclave (minutes)	Remarques particulières
Asperge	3-4	2	30-35	Empoter très frais, la tête en bas.
Betterave	15-20	2	30-35	Cuire partiellement avec 5 cm de tige puis peler. Ajouter 1 c. à soupe de vinaigre par litre (contre la décoloration).
Brocoli	5	2	20-35	
Carottes (petites)	4	2	30-35	Brosser après blanchiment.
Céleri	2	2	30-35	
Champignons	3	2	30-35	Blanchir 3 minutes en eau bouillante salée et vinaigrée. Recouvrir d'une eau chaude nouvelle.
Choux de Bruxelles	5	3	40	Blanchir à la marguerite.
Chou-fleur	5	3	40	Laisser tremper 1 heure en eau froide salée avant de blanchir.
Chou		3	40	Blanchir à la vapeur. Ne pas presser dans le pot.

	Blanchiment (en minutes)	Stérilisation		Remarques particulières
		Ordinaire (heures)	Autoclave (minutes)	
Épinard (et autres légumes-feuilles)	5-8	3	60	Blanchir à la marguerite. Ne pas presser dans le pot.
Haricots	3	2	30-35	
Maïs (en grain)	4	3	60-70	Mettre autant d'eau que de maïs dans les pots. Ne pas presser le maïs.
Navet	5-10	2	30-35	Peler avant blanchiment.
	5	2	30-35	Brosser après blanchiment.
Pois vert et mange-tout	1	3	40-45	Empoter très frais. Ne pas presser dans le pot.
Salsifis	4-5	2	30-35	Ajouter un peu de vinaigre à l'eau de blanchiment.
Tomates	3-4	2	30-35	Blanchir puis jeter en eau; égoutter et peler. Couvrir de jus de tomates. Ajouter sel et un peu de sucre.

Tableau III

Mode de conservation des légumes frais

Légende: F.: froid   CH.: chaud   S.: sec   H.: humide.

Sous le sable: enfouir dans du sable sec à une profondeur suffisante pour inhiber la germination.

Ciré: complètement enduire de paraffine tiède.

Ail blanc: F.S.	Accroché en chapelets	4-6 mois
Ail rose: F.S.	Accoché en chapelets	6-8 mois
Betterave: F.H.	Sous le sable	6-8 mois
Carottes: F.H.	Sous le sable	6-8 mois
Céleri: F.H.	Dans des sacs de plastique	3 mois
Céleri-rave: F.H.	Sous le sable ou cirés	6-8 mois
Chicorée-endive: F.H.	Sous le sable jusqu'au forçage	6-8 mois
Choux d'hiver et choux rouges: F.H.	Accrochés, la tête en bas	4-6 mois
Choux de Bruxelles: F.H.	Accrochés, la tête en bas	4-6 mois
Choux-raves: F.H.	Sous le sable ou cirés	6-8 mois
Courges d'hiver et citrouilles: CH. (5-15° C)	Étalées sur des étagères	3-4 mois
Navets: F.H.	Sous le sable ou cirés	6-8 mois
Oignons: F.S.	Accrochés en bottes	6-8 mois
Panais: F.H.	Sous le sable ou cirés	6-8 mois
Poireau: F.H.	Sous le sable	4-6 mois
Pomme de terre: F.H.	Sous le sable	6-8 mois
Radis noir: F.H.	Sous le sable ou cirés	6-8 mois

Raifort: F.H.	Sous le sable ou cirés	8-12 mois
Salsifis: F.H.	Sous le sable ou cirés	6-8 mois
Tomates: CH.S.	Enveloppées individuellement dans du papier-journal	6-8 mois

Note au lecteur français et canadien

Malgré que le système métrique ait été adopté au Canada, beaucoup de gens continuent de se servir de l'ancien système. Voici à leur intention tout autant qu'à celle du lecteur français les principales mesures utilisées en cuisine.

Mesures liquides

1 cuiller à thé	=	5 grammes liquides
1 cuiller à soupe	=	15 grammes liquides
1 tasse (8 onces)	=	0.25 litre moins 2 c. à soupe (ou 227 grammes)
2 tasses (1 livre)	=	454 grammes liquides
1 pinte (4 tasses)	=	0,9 litre
1 litre	=	0,95 pinte (4 ½ tasses américaines)

Mesures de poids

1 once	=	28,3 grammes
1 livre	=	454 grammes
100 grammes	=	3,5 onces
1 kilos	=	2,2 livres

Pour convertir les degrés de température, procéder comme suit:

du système Farenheit au système Celsius:

exemple 212 F

soustraire 32 du nombre	212	−	32	=	180
multiplier par 5	180	x	5	=	900
diviser par 9	900	÷	9	=	100 C

du système Celsius au système Farenheit:

exemple 100 C

multiplier par 9	100	x	9	=	900
diviser par 5	900	÷	5	=	180
additionner 32	180	+	32	=	212 F